EL Secreto

PARA LA MANIFESTACIÓN DE TUS SUEÑOS

Descubre lo que te detiene y sigue los pasos para manifestar tus sueños y convertirlos a la realidad.

IDÁLIZ ESCALANTE

contacto@idalizescalante.com
idalizescalante.com

ISBN 978-0-692-84225-6

Cayey, Puerto Rico

Créditos

Edición: Vigimaris Nadal-Ramos

Diseño: Yaritza Luyando

Diagramadora en línea: Verónica Rubio

Nota aclaratoria:

Este libro está basado en las experiencias de la autora, los resultados individuales de la lectura y los ejercicios aquí compartidos dependerán de cada persona.

ÍNDICE

Dedicatoria

Dedico estas páginas primeramente a mi Creador, por guiarme y mostrarme sus misterios y sus maravillas. A mi familia, en especial a dos seres que amo y que ya dejaron este plano terrenal, mami y mi hermano Juan Carlos. A mi padre, que siempre ha creído en mí. A mis hijos y mi esposo, por ser parte de mí y darme las más grandes lecciones de amor. A mi primera nieta Angelie Sophia, quien llega a este planeta justo antes de culminar el proceso de la publicación de este libro, a darme luz e inspirarme aun más a querer servir a la humanidad. A mis amigos y lectores, gracias por ser parte de mi camino. Y, por supuesto, a mí misma, por haberme atrevido a cambiar mi vida y dejarme guiar para ayudar a otras a cambiar la suya también.

Aunque es un libro enfocado en la mujer, entiendo que el conocimiento y los ejercicios son útiles para cualquier persona que desee transformar su vida y manifestar sus sueños. ¡Éxito!

Mensajes

Amiga, eres más que un tanto especial para mí, eres mi mentora, mi modelo a seguir... cuando leí tu historia me vi proyectada... era como si alguien hubiese escrito un libro sobre mi vida, porque yo fui como tú, tan tímida que me escondía detrás de todos, me ocultaba de mis maestros y aunque sabía que era brillante porque me lo decía mucha gente, para mí era algo sin valor pues mi temor o terror a no pasar desapercibida era tal que no me interesaba demostrarle a nadie mi inteligencia. Por eso fui una estudiante mediocre, por eso me salí de la universidad. Por eso me casé casi siendo una niña, la vida me aterraba demasiado y quería que otro se encargara de mí. Tenía miedo de todo, creo que sobre todo de mí misma, pero cuando leí tu historia fue como si un velo se hubiese corrido de mis ojos... "yo no soy la única" pensé, y si tú pudiste superar tu timidez y lograr lo que has logrado, yo puedo superar mis miedos y lograr mis sueños. Por eso eres tan especial para mí. Porque te veo como un autorretrato.

-Ivette Soto
Tus Dulces Ideas

"Lo más que disfruté del libro *El Secreto para la Manifestación de tus Sueños* fueron los ejercicios que incluyó la autora, Idáliz Escalante Baquero. Son prácticos, fáciles y llevan a una profunda reflexión. Además, la historia de Idáliz, contada con tanta naturalidad, es una con la que todas nos podemos identificar de algún modo. Idáliz es un ejemplo de lo que podemos alcanzar si solo creemos en nuestra voz interior y actuamos sobre ella."

-Vigimaris Nadal-Ramos
Editora, Traductora, Profesora
www.editorialnarra.com

"Al leer tu libro, me emocioné, lloré y te admiré aún más ya que tu vida ha sido un constante ejemplo de lo que compartes en esas mágicas páginas con tus vivencias. La experiencia que más me impactó fue la de la muñequita del traje azul, la que tuviste que vender para ayudar a tus padres y que regresó a ti transformada en tu hija... Profundo, sensible, impactante y motivador es tu libro... Te felicito, amiga, y lo recomendaré a todo el que tiene sueños, porque *El Secreto de la Manifestación de los Sueños* se develó en tu libro."

-Reina Delucca
Catedrática de la Universidad del Sagrado Corazón
Conferenciante/Moderadora de Esto es Vida en RarioRamapr.com

Sin duda es un libro que te llega al corazón, muy revelador, al leer la historia de Idáliz me identifiqué mucho con ella y la verdad entendí muchas cosas que hasta ahora habían pasado desapercibidas. Leer este libro dio en algunas teclas clave para mi desarrollo. En este momento, estoy inmersa en un proceso de autodescubrimiento y, sin duda, considero que la lectura de este libro me ha ayudado a entender muchas cosas de mi vida, es como si todo lo que se cuenta ahí estuviera escrito solo para mí, sabiendo exactamente lo que necesito aprender en cada palabra, en cada párrafo, de verdad que casi no tengo palabras para describirlo porque ha sido muy impactante la lectura y el aprendizaje que trae en su interior. ¡Lee el libro, tienes que hacerlo! Solo puedo decirte eso, de verdad que cuando lo hagas te acordarás de estas palabras y verás que tengo razón y me quedo corta, sin duda te emocionará y llegará al alma... Gracias, Idáliz, por tu sencillez y por tu honestidad para relatar tu vida y ayudarnos con tu proceso de vida, eres una persona maravillosa. ¡Gracias!"

- Olga Linda Castuera
Presidenta y Fundadora
Asociación Internacional de Mujeres Empresarias (AIME)
www.empresariasyemprendedoras.org/

"El libro *El Secreto de la Manifestación de tus Sueños* llegó a mis manos en el momento justo cuando tenía que llegar. Recuerdo que me encontraba en un *turning point* en mi vida en el cual sabía que era tiempo de provocar cambios en la dirección que llevaba. Sin embargo, aunque sabía que tenía que hacer cambios, no tenía la menor idea de por dónde comenzar; aun habiendo pasado por el proceso en muchas otras ocasiones. En ese tiempo buscaba respuestas a todas mis interrogantes. Pasaba largas horas buscando textos, estudios, historias que, de alguna manera, me ayudaran a centrar los pensamientos nuevamente. Me sentía verdaderamente confundida. En una de mis búsquedas me encontré con Idáliz y su historia inspiradora. A diferencia de otros textos, la calidez, la sinceridad y el lenguaje tan coloquial honesto y sencillo hizo la diferencia. Gracias a la experiencia de Idáliz pude encontrar las respuestas que necesitaba en aquel momento. De ahí en adelante todo fluyó en la dirección en que tenía que ir. Su historia me inspiró a pensar en una dimensión de posibilidades que nunca antes me había planteado. Incluso me retó a hacerlo. Desde ese día, hasta hoy, mi crecimiento personal, espiritual y profesional ha sido significativo y constante. De hecho, no ha parado. Siento que con su historia encendió la chispa de una gran llama que hoy arde en mí y parece que no se va a apagar."

-Millie Serrano
Estratega de Negocios
Autora de *Secretos de la Mujer que Prospera*

Introducción

Este manual lo creé documentando mi proceso para entender, amaestrar y luego enseñar lo que viví a otras mujeres para ayudarles a transformar su vida. En él comparto mis momentos de temor y de reflexión que me llevaron a ir descubriendo, poco a poco, mi verdadero ser y dirigirme hacia lo que soy hoy, pero también comparto los pasos de cómo logré definir lo que quería y lo que no quería en mi vida para materializar mi visión.

En el año 2006, aún era la persona insegura, tímida e insatisfecha que siempre fui desde pequeña. Había detectado que sentía una gran satisfacción cuando tenía la oportunidad de ayudar a otras personas, pero no tenía idea de cómo les ayudaría ni por qué me hacía sentir tan bien.

Hasta ese momento, llevaba muchos años encerrada en mí misma, sabía que tenía potencial, pero casi no me conocía. Había tomado la decisión de abandonar estudios y empleo para dedicarme a la familia, pero según pasaban los años me sentía estancada, insatisfecha, incompleta… Llegó el momento en que no podía ver las bendiciones que me rodeaban porque estaba continuamente quejándome y lamentándome por todo.

Pero en el 2007 ocurrió algo maravilloso. La lucha que llevaba desde hace un tiempo tratando de entender quién soy y para qué estoy aquí, me llevó a redescubrirme y conocer mi verdadero Yo. Comencé a cambiar mi percepción de mí misma, de mi situación, de mi entorno y comencé a agradecer todo lo que tenía en ese momento. En ese proceso también entendí que nada de lo que ocurre es casualidad y que no solo soy responsable de lo que ocurre en mi vida y no una víctima, sino que también puedo tomar pleno control y cambiarlo, si elijo hacerlo.

Una vez entendí el poder y la responsabilidad que se nos ha entregado sobre nuestra realidad, comencé a empoderarme, a diseñar, poco a poco, mi vida y a convertirme en emprendedora de mis sueños. Me enfrenté a mis miedos, mi inseguridad y a lo desconocido porque sabía que había mucho más para mí y que mi misión en la vida apenas comenzaba.

Una vez que reconocí todo eso y pude entrar en un estado de pleno agradecimiento, comenzaron a "moverse las fichas y abrirse las puertas". A finales de 2007, regresé a la Universidad para terminar mi bachillerato en administración de empresas, el cual había comenzado en 1994 antes de tener a mis cuatro hijos. En el 2008, seguí mi intuición y decidí crear un grupo en Facebook para promover la empresa de mi esposo y así ayudarlo. Decido llamar a ese "grupito" Mujer Empresaria de Hoy (el cual sigue activo). Al grupo comenzaron a unirse centenares de mujeres, felicitándome por haber creado un espacio donde podamos conectarnos y ayudarnos unas a otras. Según el grupo fue creciendo, fui creciendo yo también y comienzo a entender que mi pasión por ayudar a otros se cumplía con este grupo, donde tantas mujeres acudían a mí para recibir apoyo.

Haber creado ese grupo me posicionó como líder frente al mundo lo cual para mí fue un gran reto porque jamás había sido líder de nada. Estaba aterrada ante la responsabilidad y feliz al mismo tiempo por la oportunidad que la vida me brindaba de transformarme en esa mujer poderosa que había encontrado dentro de mí en mi proceso de introspección poco tiempo antes.

El hecho de estar a la cabeza de este grupo me obligó a estudiar más, a relacionarme con otros líderes, a participar de actividades empresariales por primera vez y hacer alianzas con organizaciones que antes ni sabía que existían. Todo era nuevo para mí y aunque aún tenía temor, estaba totalmente fascinada con este mundo y disfrutaba cada momento como una niña.

De todo eso han pasado ya varios años. Hoy día Mujer Empresaria de Hoy, conocida también como la Red de Empresarias Online, es una comunidad internacional donde conectamos miles de mujeres latinas emprendedoras y es mi primera empresa. Más adelante, con la idea de seguir alcanzando mis sueños y ayudar más efectivamente a las mujeres que se acercan a mí, decido convertirme en *Coach* Profesional y completé un grado Master en Programación Neurolingüística. Para compartir mi historia, recopilé todos los escritos que tenía acumulados donde había documentado cada paso que viví para lograr cambios y lo convertí en mi primer libro, un *ebook* titulado *El Secreto para la Manifestación de tus Sueños* el cual luego de experimentar su éxito como libro electrónico, decido tomar con más seriedad y seguir todo el proceso para convertirlo en un libro impreso, del cual tu puedes disfrutar ahora en tus manos.

Actualmente imparto mi conocimiento y experiencias para empoderar a mujeres a través de cursos en línea, ofrezco *coaching* y mentoría individual, creé el Círculo de Poder, un programa de *coaching* grupal y realizo retiros de varios días para mujeres. Continúo administrando mi Red y doy conferencias presenciales y virtuales a mujeres en toda Latinoamérica.

¡No he dejado de sentir miedo nunca! Simplemente, lo manejo de forma diferente y no permito que me detenga. Antes no me atrevía ni a levantar la mano para expresarme, ahora me expreso presencial y virtualmente ante el mundo, con fluidez y capacidad para influir e inspirar. Ahora me enfrento a nuevos miedos con cada nuevo reto, que me obliga a repasar cómo fue que vencí antes, para volver a vencer.

Cuando comencé mi sueño de trabajar con la mujer y abrí el grupo Mujer Empresaria de Hoy en Facebook no sabía lo que estaba haciendo, no tenía preparación, no había terminado mis estudios de bachillerato, no había asistido nunca a un evento empresarial, no conocía personas en el ambiente de los negocios, no había dado charlas, no había sido líder de nada, no tenía un plan.

Mis recursos al momento eran lo poquito que recordaba de mis dos años y medio de estudios en administración 10 años antes, una computadora y acceso a la Internet. La poca experiencia de negocios que tenía la adquirí ayudando en el negocio de sellado de techos de mi esposo.

Quizás en otros momentos *no tener* o *no saber* algo me ha detenido, pero en ese momento no presté atención a lo que no tenía; mi sueño y mi pasión eran más grandes, más fuertes. Quizás si me hubiese detenido a analizar todo lo que conllevaría desarrollar este sueño, los retos que debería enfrentar, los errores que cometería, las puertas que necesitaría abrir y las lágrimas que lloraría... no estaría aquí contándolo ahora.

No planifiqué, solo visualicé. No pedí confirmaciones, solo escuché mi intuición. No me preocupé, solo me ocupé. Puse acción a la visión sin analizar ni preocuparme a dónde me llevaría. Una "loca" idea de abrir un grupito en una red social me llevó a posicionarme como líder de líderes sin yo darme cuenta. ¡Qué me iba a imaginar yo que al hacerlo la gente pensaría que yo era experta! ¡Ja! ¡Cuántas veces me preguntaron cosas que yo no tenía la mínima idea de la respuesta!

Lo que sé lo he tenido que aprender caminando, a veces sin ver dónde voy a pisar. Las oportunidades que he tenido muchas las tuve que generar yo misma usando mi creatividad. ¡Las puertas en ocasiones las tuve que abrir por fe porque no tenía la llave! En el camino me he enfrentado a muchos gigantes, situaciones desafiantes, personas y pensamientos limitantes. Algunos los enfrenté y vencí, otros me han dado grandes lecciones y con otros parece que alguien peleó por mí.

Pero no he perdido mi tiempo enfocándome en eso. Porque en el mismo camino donde enfrento gigantes he tenido la dicha de conocer y luchar lado a lado con seres maravillosos, personas admirables y poderosas, seres de luz que quizás no hubiese conocido de otro modo. He aprendido más en estos pasados años que en toda mi vida. He crecido más por dentro de lo que jamás soñé. He tenido la dicha de ver un lado de Dios que no conocía y me acerca más a Él.

Atreviéndome, cometiendo errores y aprendiendo con mis experiencias y las de otras personas que ahora me rodean, me he convertido en maestra de mi propia vida y así deseo servir a otras mujeres. Las mujeres que llegan a mí están en diferentes etapas y situaciones. Unas no han emprendido por no saber qué hacer o por miedo, otras ya han sido muy exitosas, pero están en un cambio de vida y desean reinventarse. Pero todas, todas tienen algo en común y es que, como yo, saben que hay más, que nacieron para triunfar y para transformar la vida de otros y necesitan quien les guíe a descubrir la grandeza de su ser para comenzar a manifestar una vida empoderada y de propósito.

Cada cual tiene su propia definición de éxito y cada cual tiene un sueño particular. Tú eres única, y así también tu propósito, tu experiencia y tu parte en esta vida es única. No la encontrarás en otras personas ni tampoco pueden quitártela. Tu sueño es tuyo. Tu fórmula es especial, solo para ti.

No puedo decirte el proceso que te toca vivir pero sí puedo decirte que tu misión no la verás en otra persona, solo dentro de ti. Puedo decirte que cuando conectas con tu interior, sigues tu intuición y te mueves a dar el primer paso, todo el universo se mueve contigo. Verás que no hace falta tanto analizar y planificar cuando entras en esa dimensión. Las respuestas a tus preguntas y todo lo que necesitas ya están dentro de ti. Tú eres la experta en tu propia vida y tú decides lo que haces con ella.

Con mucho amor, comparto contigo lo que descubrí que me llevó del deseo a la manifestación de mis sueños y a alcanzar —en muy poco tiempo— lo que no había podido hacer en toda mi vida. Es mi testimonio de transformación personal y los pasos exactos que me llevaron a lograrlo para que tú también te embarques en tu propia aventura hacia el éxito.

Desde que pude detectar que lo que me detenía estaba oculto en mi mente, he seguido estudiando a ver qué más puedo aprender. La mente es algo extraordinario y uno de mis temas de estudio favoritos. Cada día descubro más cosas de mí misma. Esto se ha convertido en mi propia aventura y lo disfruto —verdaderamente, lo disfruto—.

Te invito a ver este momento de tu vida como ese tiempo perfecto, en que estás a punto de ser la protagonista de una aventura que cambiará tu vida. No importa si es la primera vez que pasas por este camino de autodescubrimiento y transformación o si ya lo has vivido antes, el camino hacia el interior del ser es fascinante y cuantas veces lo hagas, siempre encontrarás maravillosas verdades sobre ti que te llevan a trascender y no serás la misma jamás.

Que mi ser reconozca tu ser y la luz en mí alumbre el camino hacia la luz en ti.

¡Qué disfrutes tu aventura y feliz manifestación!

Capítulo 1

El Secreto para la Manifestación de tus Sueños:

yo me veía pequeña

Un viaje al pasado

Siempre fui muy tímida (mi tío me dice que corre en la familia), acomplejada y detestaba llamar la atención. No sabía cómo presentarme, qué decir de mí misma y para nada quería expresarme y dejar saber mi pensar sobre ningún tema. Sin darme cuenta, me escondía en mi propio mundo, detrás de cualquier cosa. Buscaba amistades más atrevidas y extrovertidas que yo y reconocía las habilidades o cualidades de otros antes que las mías. Aun cuando me convertí en madre, me refugiaba detrás de mis hijos para decir "no puedo hacer eso, es que tengo los nenes y tú sabes, es difícil con ellos". Todo por alejar de mí cualquier foco de atención y así librarme de las responsabilidades que vienen con serlo.

¿Qué pasó?

Un buen día de retrospección, mientras trataba de entender el porqué de las situaciones que vivía, me pregunté por qué aún no he logrado las cosas que quiero, qué pasó con aquella niña atrevida, artista, escritora de poesías que se atrevía a recitar sola frente a un público de cientos de personas sin necesidad de un micrófono y sin conocer tan siquiera lo que era ponerse nerviosa ante la gente. ¿Qué pasó con tantas habilidades y cualidades naturales visibles a temprana edad, características de una persona que triunfa en la vida? Recuerdo cuando mi maestra de primer grado le dijo a mi mamá: "Idáliz es una líder, lo puedo ver en todo lo que hace". Esas palabras podía recordarlas con claridad, pero no podía ver lo que ella vio. ¿Dónde se perdió todo eso? ¿Existiría aún la posibilidad de rescatarme?

Es momento de confrontación...

Hace apenas unos cinco años tuve un "momento de confrontación" conmigo misma. Este autoanálisis me llevó a descubrir que unas simples palabras me llevaron a encerrarme en mí, pensando erróneamente, que lo que yo era y lo que tenía que decir no era de mucho valor por lo que pensaba "mejor me callo y me quedo aquí donde nadie me vea". Lo grande de esto es que no viví experiencias traumáticas ni demasiado tristes que no me permitieran lidiar con ellas. Tuve  una niñez normal y fui una niña feliz. Tengo unos padres excelentes que hicieron, con lo poco que conocían acerca de ser padres (como todos), maravillas con nosotros.

Algo que he descubierto —que para mí ha sido muy revelador— es que precisamente el o los acontecimientos no tienen que ser grandes para impactarte, lo que te impacta y te marca es la percepción que hayas tenido del suceso y cómo te hizo sentir.

Crecí siendo muy tímida con muchos sueños pero involucrada en una realidad que no era la que soñé y no tenía fuerza para cambiarlo. Pensaba que no era muy importante hasta que no hiciera algo grande o lograra algo por esfuerzo propio. O sea, pensaba que los logros me definían y como no sentía tener ningún logro aún, me sentía "indefinida".

Y no es que mi realidad en ese momento fuese mala. Todo lo contrario. Pero ese es el asunto, vivía una vida de bendición pero no podía verlo porque estaba muy preocupada por "lo que pudo haber sido".

Me propuse redescubrirme...

Cuando descubrimos que nuestras aparentes limitaciones solo son reales en nuestra mente, sentimos el poder para alcanzar las estrellas como nunca antes. Yo descubrí que mi timidez no estaba en los genes y mejor aún, que no tengo porqué aceptarlo como parte de mí. La timidez no es otra cosa que inseguridad. Inseguridad porque desconocemos quiénes somos, qué somos capaces de hacer, qué habilidades tenemos y cuán especial somos en realidad.

Como parte de ese proceso de autoanálisis, me propuse, poco a poco, redescubrir a Idáliz. Me hice preguntas. Recordé las situaciones que he podido manejar y las habilidades que dominaba desde pequeña, destrezas y

14

cualidades que me convierten en una persona diestra, especial y única. Este nuevo conocimiento del *Yo* fue invalidando, poco a poco, la vieja creencia que tenía de mí que me hacía tímida e insegura. En otras palabras, ahora puedo decir "¿insegura de qué?", si en realidad tengo esas habilidades, experiencias y destrezas que me hacen una persona interesante y genuina. En fin, pude adoptar la actitud correcta y decir, "Bueno… ¡soy una maravilla!"

> *En mi mundo todo cambió*
> *cuando cambié mi percepción de mí.*

Yo me veía pequeña...

No tenía idea de que era tan acomplejada e insegura. Tenía muchas aspiraciones y sabía que había en mí la capacidad para alcanzarlas, pero veía "la realidad" que me rodeaba y cada situación, más grandes de lo que me veía a mí misma. Cuando alguien me decía "cree en ti", yo pensaba "no tengo problema con eso, yo creo en mí". Pero el problema no era que no creyese en mi capacidad, sino que la percepción que tenía estaba distorsionada; mi situación parecía más grande y con más poder que yo.

Ese momento de confrontación y reflexión personal ha sido para mí el comienzo de una nueva vida. Una vez me di cuenta que todo ese miedo, complejo e inseguridad estaba solo en mi cabeza, por un asunto del pasado donde la percepción del suceso fue lo más impactante de todo, he podido resolver muchos problemas de mi vida.

Fue un proceso, pero un día comencé a hacerme preguntas tales como: ¿por qué le tengo temor a esto y aquello? ¿Por qué tal cosa me hace reaccionar de tal manera? ¿Por qué estoy aquí, en esta situación, qué hice para llegar aquí y cómo puedo cambiarlo? ¿Podré cambiarlo?

Me tomé el tiempo de sentarme con Idáliz y preguntarle qué cosas le molestan y por qué. Le pregunté a qué le tiene miedo, ¿tendrá sentido temerle a eso? ¿Ese miedo es por algo real o se debe a algún suceso del pasado?

Un encuentro conmigo...

Contesté una por una mis preguntas y me encontré, me descubrí a mí misma. ¿Y sabes qué vi? Un ser estupendo, con muchísimas cualidades hermosas, fuerte, amorosa, con gracia, inteligente, con habilidades artísticas y sociales, con pasión por la vida y mucho amor, con ganas de vivir y la capacidad para conseguir lo que quiera. Era una Idáliz muy diferente, era nueva para mí y, a la vez, me pareció reconocerla de muchos años atrás. Estaba oculta bajo tantas capas. Pero brillaba. Todo lo que tuve que hacer para encontrarla fue seguir esa luz. Con cada respuesta a cada pregunta, me fui quitando capas de encima y poco a poco se fue revelando la nueva Idáliz.

Una hermosa revelación...

No hay para mí herramienta más poderosa que conocerse a una misma. Esa revelación te quita todo temor y te confirma ese presentimiento de "creo que hay algo más para mí". Cuando logras ver quién eres en realidad y entras en contacto con ese poder, se van abriendo puertas a infinitas posibilidades.

¡Qué grande fue el día que descubrí que la mayoría de, si no todas, mis limitaciones, temores, debilidades, eran solo recuerdos y percepciones archivadas en mi subconsciente! Ese descubrimiento provocó una revolución tan fuerte en mí ser que todavía hoy sigue ardiendo el fuego en mí. Luego de eso, en solo tres años, he hecho todo lo que no me atreví hacer en toda mi vida. Es que mi percepción de las cosas y, en especial, de mí misma cambió radicalmente.

Comienza la reprogramación...

Con esa actitud en mente, comencé a reprogramar mis pensamientos acerca de mí. Comencé a proyectar en mi mente una nueva imagen de mí misma, basada en mi reciente descubrimiento. Abrí las puertas a nuevas posibilidades. Atraje a mi vida los libros, las enseñanzas y las experiencias necesarias para redirigir mi vida. Practiqué ejercicios de declaraciones para guardar en mi subconsciente lo que yo deseo que permanezca ahí.

Ahora me veo grande...

Aproximadamente un año antes de comenzar este proceso, tuve un sueño de tantos donde aparecían unos seres, algo así como hombres lobos. Este sueño parecía igual que los anteriores, ellos están ahí haciéndose sentir de algún modo y yo me escondo aterrorizada. En realidad, en ninguno de los sueños me habían atacado y en este tampoco. Pero aun así, aunque solo estaban ahí, mi temor era extremo. No solo en sueños, sino que ese temor lo sentía en la vida real. Pero de momento el sueño cambió. Comenzaron a atacar a las personas que estaban conmigo en la casa. Yo rápidamente corrí a buscar refugio y me escondí debajo de una mesa. Mientras me escondo, escucho los gritos y el terror por toda la casa. No sé qué ocurrió diferente dentro de mí en esta ocasión porque en ningún sueño anterior había hecho algo semejante, pero esta vez no aguanté. Me dije a mí misma ahí, debajo de la mesa, "¿hasta cuándo te seguirás escondiendo? ¡Ya basta!" Me cargué de un valor que jamás había tenido y salí de mi refugio a enfrentar lo que me aterrorizaba.

¡Estaba harta! Cansada de que me infundieran miedo, de tener que esconderme todo el tiempo. Pero sucedió algo importante. En el momento que decidí enfrentar y di el paso para ir a defenderme, encontré en mi cintura una poderosa espada. Con la espada salí, me defendí y gané.

Nunca he vuelto a soñar con hombres lobos. Nunca volví a temerles. De hecho, algunas de mis películas favoritas son de ese tema. Pero me pregunté, ¿qué significado tendría la espada? ¿Habrá estado la espada ahí todo el tiempo sin yo descubrirla antes?

> *Las cosas tendrán sobre ti el poder que les otorgues. Sea una persona o un pedazo de papel, si crees que puede dominarte y te ves indefenso ante eso... así será.*

Cuento todo esto porque, aunque es un sueño, los sueños también son experiencias. ¿Será casualidad que justo después de vencer en mi sueño, la vida me da la oportunidad de vencer la timidez, uno de mis temores más grandes? No lo creo. Pienso que una cosa representaba a la otra. Y también pienso que así como la espada apareció justo cuando me atreví a moverme, así aparecen los recursos y se abren puertas cuando damos un paso al frente.

Comparto otro secreto... a veces eso, a lo que tanto le temes, te teme a ti. A veces, tu enemigo sabe que puedes vencerlo, pero también sabe que tú mismo no eres consciente de eso, por eso te amedrenta y trata de dominarte. Mientras te mantenga atemorizado e ignorante de tu poder siempre tendrá poder sobre ti. Y no estoy hablando necesariamente de personas o seres, hablo también de cosas y situaciones. Las cosas, sean lo que sean, tendrán sobre ti el poder que les des. Sea una persona o un pedazo de papel, si crees que puede dominarte y te ves indefenso ante eso... así será.

Tengo poder sobre mi realidad...

En cuanto comencé a explorarme, empezaron a llegar libros, enseñanzas, experiencias, personas y en cada cosa había respuesta a una de mis preguntas. Aprendí mucho de mí misma, de mi niñez, de mis padres. Pero también aprendí algo que, en aquel momento, me chocó y a la vez tuvo más sentido para mí que cualquier otra cosa que haya escuchado: *¡tengo poder sobre mi realidad!* Dentro de mí hay un ser superior que sabe exactamente lo que hace y lo que necesita en su camino para crecer. No hay casualidades, yo elegí estar aquí... ¡ahora!

¿Verse ganando o verse como un ganador?

Para ser un ganador, debes verte como ganador aun antes de lanzarte a la carrera. No estoy hablando de una visualización ni de declaraciones. Todo eso es válido pero esto es mucho más grande. Es cómo piensas de ti. ¿Lo has meditado? Piensa en ti por un momento, ¿qué palabras, emociones e imágenes vienen a tu mente? Es una pregunta curiosa, lo sé.

A veces, se nos hace más fácil admirar y tener expectativas altas de otros que de nosotros mismos. Incluso, otras personas pueden ver nuestra grandeza con más facilidad. Nosotros nos miramos en el espejo y vemos la persona de todos los días, la de los problemas sin resolver, la de las cosas que debe esconder, la que aún no alcanza sus metas, la que puede lograr muchas cosas, pero no sabe por dónde empezar.

Si en algún momento nos observamos a conciencia es posible que detectemos lo que encierra nuestro interior. Pero las vivencias, los recuerdos y las percepciones de los hechos que vivimos a través de los años nos han distorsionado la visión e imagen de quienes somos. Y todo eso está guardado ahí, en el subconsciente.

Eres águila: ¿qué haces comiendo en el suelo con las gallinas?

En una ocasión una persona cercana me preguntó: "¿qué haces comiendo maíz en el suelo con las gallinas si eres un águila y el águila vuela en las alturas?". No sé si ella sabía de lo que estaba hablando o si tan siquiera vino de ella el cuestionamiento, pero yo entendí perfectamente. Y es una de esas experiencias maravillosas, que en el momento que ocurren no parecen ser buenas porque causan incomodidad, pero son precisamente esas pequeñas cositas las que cambian tu vida para siempre.

¿Cómo quieres ser?

Yo me hice esta pregunta un día, ¿cómo quiero ser? Creo que no hace falta decir lo que decidí. Decidí cambiar mi realidad porque me limitaba de las cosas que quería y mi pasión pudo más que el temor. Separé los pensamientos y las acciones limitantes de los pensamientos de poder y elegí poner estos últimos en práctica hasta hacerlos parte de mí.

Cambió la percepción que tenía de mí, del mundo y todo lo que me rodea. Me di cuenta que veía las cosas fragmentadas, no estaba mirando la imagen completa y por eso no tenían sentido para mí. Pasé de ser víctima de las situaciones a tomar poder y control sobre ellas y decidir cómo navegar mi propio barco a conciencia y con rumbo definido.

> *Puedes pasar toda la vida buscando un héroe, alguien a quien seguir y admirar, una aventura de vida, y jamás darte cuenta que tú eres el héroe o heroína de tu propia aventura. Observa tu vida a través de ojos ajenos y encontrarás una historia digna de contar.*
> *-Idáliz*

¿De dónde vienen esas emociones?

Pedir, creer, recibir. Esos son los tres pasos que más recordamos cuando aprendimos sobre *El Secreto*[1]. Pero hay una clave detrás de eso que ha sido pasada por alto o al menos no se le ha prestado la misma atención: *sentir*.

Las emociones son una guía, como la fiebre es señal de que existe infección. Cuando analizas tus emociones en relación con lo que no te funciona, de repente descubres algo: *tus emociones y tus pensamientos no están en armonía.*

¿Qué te dicen tus emociones? ¿Hay coraje, temor, rencor, desesperación, decepción o frustración?

Deja que te guíen y te muestren...

Cuando piensas y declaras las cosas que deseas, deben provocar en ti emociones positivas. Si llevas tiempo declarando sin ver los resultados, detente y revisa tus emociones.

La realidad: esos pensamientos y declaraciones están a nivel consciente; sin embargo, son tus emociones las que te muestran lo que está en el subconsciente.

Y si lo que está en el subconsciente es diferente a lo que piensas de forma consciente, el subconsciente ganará ya que el 90% de nuestras acciones se generan de manera automática desde el subconsciente.

Entonces, ¿qué es lo que nos mueve?

---

[1] Byrne, R. (2006). *The Secret*. Oregon: Beyond Words Publishing.

¿Has escuchado el refrán "uno es el peor enemigo de uno mismo"? Este refrán se refiere a que a veces uno sabotea sus propios esfuerzos, se pone límites que no existen, utiliza excusas y justificaciones para no hacer algo que debe hacer.

¿Pero de dónde viene esto? ¿Por qué lo hacemos? ¿Te has preguntado alguna vez, "por qué hago lo que no quiero y lo que debo no lo hago"? Simple, porque el 90% de nuestras acciones son manifestaciones de nuestra memoria subconsciente, no de lo que estamos aprendiendo ahora, practicando y creyendo de todo corazón[2].

¿Realmente lo creímos?

Puedes conocer y entender todo el proceso de cómo funciona el universo, la energía y tener toda la fe del mundo, pero hasta que no manejes lo que oculta tu subconsciente estarás luchando con un enemigo invisible.

Cuando lo crees de todo corazón es en realidad cuando lo que piensas, declaras y practicas siendo consciente se interiorizó de tal manera, que sustituye el pensamiento del subconsciente. Lo sabrás porque tus emociones van a la par con lo que pides y declaras. Entonces no hay duda de que así será.

La mente, a nivel subconsciente, graba todo. Y de ahí, se forman pensamientos que generan, a la vez, emociones que te llevan a actuar de cierta manera.

Lo que había en mi memoria subconsciente sobre mí misma era negativo, por lo que generaba emociones de temor e inseguridad, complejos y todo lo demás que se deriva de esto. Eso me convertía en la persona tímida y retraída que fui hasta mis treinta y pico de años. Pero mis sueños y metas no podían convertirse en realidad si seguía siendo tímida. Sabía que tenía que cambiar el panorama o se quedaría todo en sueños. Fue así hasta que dije: "¡Basta ya!".

Puedes ver el árbol o solo la semilla...
El árbol más grande y frondoso comenzó como una pequeña semilla, pero dentro de ella ya se encontraba todo lo necesario para ser todo lo que estaba destinado a ser. Con el cuidado

---

[2] Lipton, B.H. (2008). *The Biology of Belief: Unleashing the Power of Consciousness, Matter, & Miracles.* EE.UU.: Hay House, Inc.

> *apropiado, se convirtió en el más hermoso y fructífero de los árboles del huerto.*

Cómo funciona el subconsciente

Conoces la Ley de la Atracción. Crees fielmente que tú creas tu realidad, que lo que te rodea es resultado directo de tus pensamientos. Controlas tus pensamientos y practicas las declaraciones correctas. Te funciona, pero quizás has notado que en algunas áreas de tu vida no te está funcionando. Cuando observamos los resultados que estamos obteniendo y vemos que no son los que deseamos, nos preguntamos, ¿cómo es posible que yo haya creado eso? No es lo que quiero y definitivamente no es lo que estoy generando en mi mente ni declarando. ¿Será posible que todo esto de atraer lo que uno desea sea un cuento?

¿Por qué no he creado lo que quiero?

Y eso nos lleva a cuestionarnos, si yo creo mi realidad, entonces ¿por qué no he creado la que quiero? Quizás porque no sé lo que quiero. Quizás porque, en lo más profundo de mi ser, sí es esto lo que quiero. Nos quedamos con más preguntas que respuestas...

Pero la pregunta correcta que debemos hacernos es ¿para qué? ¿Cuál es el propósito en mi vida de esto que estoy atrayendo? ¿Para qué necesito esta realidad? ¿Cuál es la enseñanza que encierra? ¿Estaré en proceso de preparación para algo más?

En mi vida, descubrí que todo lo que había vivido y mi situación actual tienen un propósito muy grande. De hecho, sin haber vivido esa realidad, sin haber pasado por esas experiencias y haber aprendido lo que necesitaba aprender, no estaría ahora donde estoy. Fueron parte de mi "escuela" y mi preparación.

Es causa y efecto, pero también es causa y propósito. No hay coincidencias y no somos víctimas sino que hay una relación directa entre tu presente y tu pasado que, a la vez, tiene propósito. No sería médico quien no estudió medicina primero y no sería experto quien no experimentó y probó primero. Sencillamente, lo que has vivido tuvo un efecto y el propósito siempre será sacar a la luz la mejor parte de ti.

Causa • Efecto • Propósito

Detrás de cada conducta, de cada característica de tu personalidad, hay una historia. Nadie nace con miedos sin sentido, inseguridades, corajes ni carácter melancólico. Se formaron en ti a partir de algo. Pero lo importante no es tanto qué sucedió para hacerte así, sino qué relación tiene eso contigo ahora, con tu actual realidad y cómo afecta tus decisiones y tu vida. ¿Tendrá que ser así, sin poder cambiarlo? Si no hubiese la posibilidad de cambiarlo, pasaríamos a otro tema y nos olvidaríamos de esto. Pero sí, puedes cambiarlo. Cuando te des cuenta que todo se debió a un hecho del pasado, unas palabras, una experiencia que fue pero que ya no es y que te dejó marcada dirás: "eso fue ayer, ahora espero otras cosas".

El subconsciente: tu amigo o tu enemigo

Pareciera lo contrario, pero de hecho, no tendrás jamás un amigo como tu subconsciente. Su conducta es primaria: proteger, sobrevivir y cuidar. Es fiel y solo sigue tus órdenes. Según lo que le has dado a guardar, él responde siempre a tu favor para mantenerte a salvo de aquello que, en algún momento, te hizo daño. Pensarás: "entonces, ¿por qué lucha contra mí ahora? Quiero lograr unas cosas y él me lo impide."

Esto ocurre porque no has tenido aún una conversación a conciencia entre tú y tu subconsciente.

El mecanismo del subconsciente

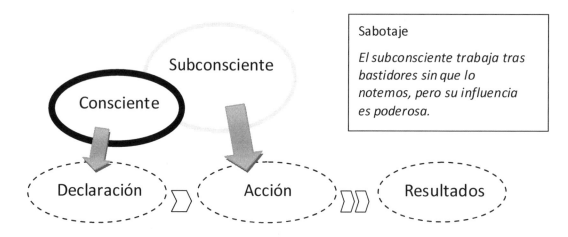

Ejemplo # 1

En tu mente consciente creas los pensamientos, las imágenes y las visualizaciones de lo que deseas. Declaras lo que estás pensando a conciencia. Comienzas el proceso de hacer las cosas de acuerdo con tus declaraciones y pensamientos, pero no ves los resultados que deseas.

Ejemplo #2

Creas los pensamientos, las imágenes y las visualizaciones de lo que deseas. Declaras lo que estás pensando a conciencia. Comienzas el proceso de hacer las cosas de acuerdo con tus declaraciones y pensamientos y empiezas a ver los resultados que deseas, pero en algún momento empiezas a sabotear tu propio esfuerzo. Ya no estás haciendo las cosas de igual forma, perdiste el enfoque o el ánimo.

Hasta que no interiorices los nuevos conocimientos y pensamientos, lo que está archivado en tu memoria seguirá trabajando y manifestando los resultados indeseados.

> *Para conocer qué tipo de pensamientos predominan en tu subconsciente, examina tus emociones.*

Los pasos que tomé para cambiar mi realidad...

Todo este proceso de transformación comenzó con una sensación de haber llegado al fondo de un pozo, confundida y sin respuestas. Recuerdo muy bien que un día me encontraba en la sala de mi casa tarde en la noche, mientras todos dormían, llorando, preguntándole a Dios por qué yo no lograba hacer nada productivo (lo cual no era del todo cierto, pero así me sentía) y pensando dentro de mí, "¡Ya basta! No estoy a gusto con el rumbo que está tomando mi vida y necesito Tu ayuda porque no sé qué hacer".

Fue un camino que duró varios años sin yo saber que ya había comenzado, pero una vez entendí, acepté y agradecí, todo empezó a moverse a la velocidad de la luz.

Una cosa me llevó a la otra, no era consciente en ese momento de que estaba pasando por un proceso ni mucho menos de los pasos que debía seguir. Pero sí sé que a mis preguntas llegaron respuestas, por medio de libros, recursos, personas y situaciones. Poco a poco, me fueron revelados muchos misterios que al momento desconocía. El conocimiento brinda poder y fue determinante para que esto sucediera de esta manera.

Estos fueron los sucesos que precedieron mi evolución y todos son parte del proceso de "ser consciente":

- Reflexioné: me hice preguntas, investigué sobre mi pasado, busqué respuestas e información.

- Sané: una vez soy consciente y veo todo claro, puedo sanar, trabajar con mis emociones, entender, soltar y, sobre todo, perdonar y perdonarme.

- Me re-conocí: hice listas de cualidades, destrezas y todo lo que me caracteriza para proyectar mi verdadero *Yo*.

- Agradecí: mi pasado, mi presente, mi proceso, todos los acontecimientos que me han traído hasta el presente que vivo y, por supuesto, la oportunidad de recibir tan grande lección.

- Reenfoqué: hice un plan con todo esto nuevo que tenía a la mano (nuevo porque recién lo descubro) y decido qué hacer con esto ahora.

El proceso de transformación comienza cuando nos damos cuenta de que hay algo que no está funcionando bien. Recordemos que somos seres completos, cuerpo, mente y espíritu, y cuando no hay armonía nuestro ser nos da la señal por medio de una de nuestras manifestaciones. Este "darnos cuenta" es lo que llamamos ser conscientes y es la ventana que se abre para que todo comience a caer en su lugar.

Reflexionar para ser consciente

En algún lugar leí que la calidad de vida que experimentarás depende de las preguntas que hagas. Estoy totalmente de acuerdo con ese pensamiento. Las preguntas que me hice trajeron respuestas y también más preguntas. De pronto, las cosas parecen cobrar sentido, puedes ver una secuencia, incluso patrones de conducta y de experiencias personales que no ocurren por casualidad sino porque las provocamos sin saberlo.

Ya conoces el poder del pensamiento positivo, las declaraciones y la visualización. En algunas áreas de tu vida has logrado atraer lo que deseabas y experimentaste esa satisfacción. Pero te das cuenta de que en otras áreas sigues sin lograr los resultados deseados. Entonces, debe haber algo más.

Ser consciente de que algo no anda bien es el primer paso para hacer un cambio positivo. No podemos arreglar algo si no sabemos que está dañado. Así mismo, debemos ser conscientes de que si no hemos logrado avanzar en un área de nuestra vida es porque aún queda algo por descubrir, que está sirviendo de tropiezo al tratar de manifestar cambios.

Visitar el pasado para sanar…

Es importante dejar la culpa y el sentido de inferioridad e incapacidad a un lado. No te sirven. Para lo único que han servido es para ocultar tu verdadero ser de ti y del mundo… y hacerte impotente. No eres culpable sino responsable. Y tampoco es productivo culpar a otros, pues igual, si otro es culpable no puedes hacer nada al respecto. Lo único que te brinda el poder para hacer un cambio es reconocer tu responsabilidad para el cambio. Al ser responsable puedes tomar control, pero lo más importante es reconocer que las cosas tuvieron una raíz en tu pasado y ya no tienen por qué dominar tu presente.

Para entender lo que te detiene puedes hacerte las siguientes preguntas:

- ¿Qué fue lo que ocurrió?
- ¿Qué hay guardado en tu memoria?
- ¿Qué sucesos ocurrieron o qué palabras te dijeron?
- ¿Qué presenciaste que pudo haber generado emociones negativas?

Sigue estos pasos:

1. Piensa en la primera vez que recuerdas algo relacionado con tu actual objeto de estudio (tus finanzas, relaciones interpersonales, salud, peso y demás). ¿Cómo era tu situación en ese momento? ¿Cómo te manejabas? ¿Puedes detectar un problema en esa área o eras libre? Puede que sea de años recientes o quizás eras tan joven que no recuerdes, pero reaccionamos según los estímulos y está todo grabado en tu mente.

2. No importa si no recuerdas, puedes arreglar tu relación y cambiar tu situación.

Si eres el resultado de eso, entonces probablemente no tuviste mucho control antes, pero ahora sí. Siéntete en completa libertad de soltar lo que ahora no te funciona. Si hay emociones y patrones de conducta que resultan del pasado y no te traen los resultados que deseas, empodérate y libérate de eso.

Aquí hay algo que no puede faltar. Como parte del proceso de sanar, liberar el sentido de culpabilidad y soltar, debes perdonarte. ¡No te castigues! No te juzgues ni te critiques por lo que pasó y mucho menos por cómo son las cosas ahora. Perdónate por los errores, reconoce quien eres realmente: un ser poderoso, nacido para triunfar.

Reconocer quién eres

Reconoce tus cualidades, tus debilidades y fortalezas. Valora también las cosas que conoces, destrezas que has desarrollado, lo que has aprendido en la escuela, los libros y la vida —porque nada ha sido coincidencia ni accidente— y analiza:

- ¿Cuál es el panorama general?
- ¿Cambia ahora tu percepción y la forma en que te ves?
- ¿Puedes entender que sabes más de lo que creías y que eres más fuerte de lo que pensabas?

Aquí hablo de conocerte en realidad, tal cual eres, sin las capas.

> *No puedes transformarte si no te conoces primero.*

Comienza de nuevo. Reconocerte es reconectarte con tu ser, con tu verdadera esencia. Cuando estamos desconectadas de nosotras mismas, sufrimos, nos perdemos y nos debilitamos. La reconexión te devuelve la fuerza y el propósito.

No hay para mí herramienta más poderosa que conocerse a una misma. Esa revelación te quita todo temor y te confirma ese presentimiento de "creo que hay algo más para mí".

El juego de la vida se trata de elecciones. O te quedas ahí en el mismo lugar impotente y sintiéndote miserable o te mueves para hacer un cambio. Para lograr cambios se necesita valentía, determinación y pasión. Pero lo más importante que necesitas es la *percepción correcta de ti*. Si no te ves capaz de hacerlo, no importa cuánta determinación, pasión y valentía tengas, no importa cuántas declaraciones y visualizaciones hagas, no lo alcanzarás y si lo alcanzas será por un breve momento.

¿Has tenido la experiencia de lograr algo importante que luego se esfumó sin que tú sepas por qué? Yo sí. He materializado algo y luego así como vino se fue. Porque aunque tuve el poder de crearlo, mi mente aún no estaba acostumbrada a la idea de ver a Idáliz como protagonista en esa situación.

Si no has reprogramado tu mente, ella literalmente se queda divagando entre si será o no cierto que pudiste lograr eso. Tienes que verte así primero, tienes que entender, aceptar y confiar que eres capaz y que lo que te propones no solo es posible, sino que es parte de ti.

Es hora de hablar: una comunicación consciente con tu subconsciente

Ya descubriste lo que pasó. Si no lo recuerdas, al menos sabes que en algún momento de tu vida no tenías problemas con eso. Quizás te des cuenta de que el problema viene de generación en generación. No importa, vamos a arreglarlo.

Al igual que con otras personas, podemos dañar la relación con nosotras mismas. Tu subconsciente eres tú. Si lo que hay en él te impide crecer, debes arreglar tu relación, *hacer un nuevo pacto* y seguir adelante como un equipo que busca del mismo fin.

Para arreglar la relación contigo puedes hacerlo como quieras. Yo, imaginé a mi subconsciente como si fuese otra persona, una persona que me cuida, me ama y desea lo mejor para mí. Una persona que está ahí incondicionalmente, no importa cuánto pelee con ella. Pero solo puede cuidarme con las reglas que yo misma le di: *esta fue mi experiencia, así me sentí, esto me hace daño, me incomoda.*

Como fiel guardaespaldas cada vez que te enfrentas a una situación similar y sabes que no hay peligro, que puedes hacerlo, que quieres hacerlo, tu subconsciente sale en tu defensa "recuerda que eso te hace daño", "recuerda que no lo mereces", "recuerda que es difícil", "recuerda que te hace sentir incómoda"... Su instinto primordial sale a tu rescate una y otra vez, deteniéndote, saboteándote y atrayendo los resultados que él quiere, pero que tú, a conciencia, ya no deseas.

Una vez entiendes cómo funciona tu subconsciente como guerrero velando por tu bienestar, ahora puedes a conciencia sentarte con él y hacer las paces.

Todo esto es un juego psicológico, pero no hay cosa más poderosa. Hazle ver que ya has entendido, que sabes lo que pasó y lo que se guardó en tu memoria, que reconoces y honras su función y lo bien que lo ha hecho, así como su fidelidad. Pero preséntale tus nuevos conocimientos, has aprendido mucho y aún no se lo habías compartido, enséñale cómo son las cosas ahora, tu nueva percepción y visión de la realidad. Tú eres quien está al mando, pero son un equipo, busca trabajar con tu subconsciente a tu favor. Una vez repases los nuevos términos, dense la mano o un abrazo y sellen el trato.

Agradecer

La gratitud es algo poderoso. ¿Pero sabes exactamente por qué? Porque genera emociones positivas y *las emociones son la pieza clave en el proceso de atracción y manifestación.*

Debes agradecer cada momento que has vivido pues cada uno de ellos encierra una gran lección y trajo consigo herramientas que necesitarás más adelante. Si no los reconoces, los invalidas. Cuando agradeces el todo, reconoces que existe una sincronización entre todos los elementos y todo ha conspirado a tu favor.

El agradecimiento es una energía poderosa, te ayuda a mantener el enfoque en lo bueno, en las posibilidades, en el momento presente y te mantiene en un estado de humildad al reconocer que no eres tú la fuente, sino el canal a través del cual el poder se manifiesta.

Reenfocar

La clave para tener éxito está en cambiar la percepción de ti misma. Lo que otros ven jamás será tan importante y determinante como lo que ves tú.

Reconoce cuáles son tus fortalezas y utiliza esos recursos al máximo. Reenfócate y maneja tus debilidades. Trabaja en aquellas que entiendas puedan ser tropiezo para alcanzar lo que quieres y no te preocupes por las demás porque *la perfección está en el balance.*

El adiestramiento

Ahora tu consciente y tu subconsciente trabajan juntos para lograr lo mismo, lo que deseas en realidad. Pero lograr cambios profundos conlleva práctica y el desarrollo de nuevos hábitos.

Durante años, tu subconsciente creyó las cosas de cierta manera, te protegió de ciertas situaciones y personas. Le tomará un tiempito acostumbrarse al nuevo ambiente, las nuevas actitudes y las personas a tu alrededor sin salir en defensa tuya.

Reconoce cuándo el subconsciente está actuando con el viejo modelo, dale las gracias pero recuérdale que hay nuevas reglas y continúa. No pelees, no te frustres, es normal que surjan viejos pensamientos y modos, aún están ahí y estarán hasta que se interiorice el nuevo modo y para llegar a ese estado es necesaria la disciplina para crear nuevos pensamientos y hábitos hasta que surjan naturalmente y sin esfuerzo.

Con la práctica se refuerza lo aprendido, pero debes reconocer que tomará tiempo. Esta es la parte del proceso en la que muchos se caen. Si puedes entender que estás en proceso de adiestrar tu mente y que los errores son parte del proceso, entonces no debes tener problemas. Si en algo fallas, corrige el error y continúa. Jamás te des por vencida.

> *Para crear una nueva programación debes desaprender lo que está guardado y grabar nueva información.*

La memoria graba así:
1. Por impacto: las cosas traumáticas o fuertes se graban (está ligado con las emociones).
2. Por repetición: declarar repetidamente, actuar (crear hábitos).
3. Por emociones: las cosas que estimulan las emociones se graban con más facilidad.

¿Qué ayuda a instalar estos nuevos pensamientos?
1. Decirlo con emoción y visualizar detalladamente.
2. Practicar y declarar (recuerda que estás en un proceso de aprendizaje).
3. Aplicar los cinco sentidos (aromas, escuchar audios o música que inspire, tocar o rodearte de lo que quieres, mantenerlo a la vista).

La clave número uno es sentirlo y todas estas cosas pueden ayudarte. Pero nada será tan efectivo como el acto del agradecimiento de lo que tienes ahora. Aprovecha, disfruta y vive cada momento, aprende de las experiencias y reconoce que estás en camino.

Ejercicios
Redescubre tu identidad y conecta con tu propósito de vida

Todo cambio efectivo en el exterior debe comenzar en el interior. Demasiadas personas pretenden brincar estas etapas cuando aprenden sobre la Ley de la Atracción o cuando reconocen el poder que hay en la palabra para crear su realidad. Pero como en todo, es necesario vivir el proceso, interiorizar lo aprendido y llevarlo a la práctica para dominarlo.

Tus acciones siempre responden a lo que hay interiorizado en tu subconsciente. ¿Pero cómo sabes qué pensamientos están ocultos en tu subconsciente y pueden estar saboteando tus esfuerzos?

Todas las respuestas que buscas, la solución a cada situación que se te presenta y el poder para cambiarlo están justo dentro de ti. Quizás no lo creas ahora y es entendible, la mayoría de las personas tiende a buscar respuestas fuera de sí mismas. Pero con la lectura y las preguntas a continuación, vas a descubrir mucho sobre ti. Tu percepción de ti misma y de la realidad que te rodea cambiará.

Con los ejercicios en este capítulo, aprenderás a detectar los pensamientos que se han instalado en tu subconsciente con el pasar de los años. Transfórmalos y toma control de tu vida. Podrás sincronizar tus pensamientos, emociones y acciones para generar acciones que te brinden los resultados que deseas.

Podrás describir tu situación actual y el grado de satisfacción en cada área de tu vida. Podrás reconocer, sin rechazar, cómo esa situación te hace sentir y cuál es su propósito o la lección que trae para ti. Harás una introspección para conocerte mejor, guiada por preguntas sobre cómo reaccionas, qué te gusta, qué te incomoda y cómo "eres".

Luego entenderás cómo tus emociones influyen en tu toma de decisiones y tus acciones, que han creado tu realidad actual. Comprenderás que tu realidad externa (los resultados) es una proyección de tu realidad interna.

En este proceso vas a identificar tus cualidades, fortalezas y debilidades para un reconocimiento más amplio del yo que te motivará a levantarte, pues cambiarás tu percepción de lo que puedes y no puedes hacer. Una vez hayas identificado tus herramientas ("armas" naturales o adquiridas), podrás definir lo que quieres (tus metas) y aprenderás cómo utilizar dichas herramientas para alcanzar lo que deseas.

Esta es una etapa de *introspección*, de preguntas y de observación de tu situación actual y tu reacción ante las cosas que te suceden. Vas a observar —sin juzgar— cuáles son tus preferencias, qué cosas toleras y qué cosas te apasionan. También observarás qué cosas no toleras o activan en ti emociones negativas tales como el coraje, la frustración, la tristeza y demás.

Todo tiene su raíz. Cada emoción y reacción tiene una causa, pero también tiene un propósito. Y a veces, observando cómo te comportas puedes descubrir mucho sobre ti.

No trates de cambiar nada en esta etapa, no critiques ni juzgues, tampoco te lamentes. Estarás en un hermoso proceso de autodescubrimiento y cada cosa que has vivido te ha traído hasta aquí; por tanto, ha sido una bendición en tu vida.

Nada es casualidad. Todo te ha estado preparando para lo que te toca hacer, lo puedas ver ahora o no.

Prepárate para descubrir lo maravillosa que eres, te darás cuenta de que eso que te ha estado deteniendo se basa en una falsa creencia que llevas cargando desde el pasado. Te conectarás con tus emociones y puede que detectes de dónde vienen, como también puede ser que estés más reflexiva, pensativa, incluso sorprendida con las cosas que vas descubriendo.

Date tiempo. Anota tus descubrimientos (no sabes si algún día esas notas se conviertan en un *best seller*). Pregúntalo todo y sigue preguntando hasta llegar a la raíz. Activa tus cinco sentidos. Fluye con tu instinto y permite que te guíe hacia dentro de ti.

Puede ser que las preguntas que te llevarán a descubrirte lleguen de otra persona o de libros, frases y otras fuentes. Una vez mi esposo me preguntó que por qué me gustaba tanto ir a casa de personas que yo no conocía solo para orar por ellos y ayudarlos. Fue justo cuando pasaba por mi proceso de autodescubrimiento, así que la pregunta me llegó como enviada del cielo. No le contesté, porque no sabía la respuesta, pero al reflexionar objetivamente sobre ella pude descubrir muchas cosas. De ese modo, poco a poco me dejé guiar hacia lo que soy hoy.

Cuando alguien te pregunte, cuestione, critique o te pida algo: ESCUCHA.

Dios, por medio del universo, te está trayendo lo que necesitas encontrar.

Ejercicio 1

Radiografía personal: Preguntas para conocerte mejor

Nota: si tienes ejercicios anteriores, completa primero estas preguntas y luego puedes comparar tus respuestas.

1. ¿Qué cosas son las más que disfrutas hacer?

2. ¿Qué te encantaría estar haciendo ahora mismo?

3. ¿Dónde te encantaría estar?

4. Si tuvieras todo el dinero del mundo, ¿qué estarías haciendo ahora? ¿En qué invertirías tu tiempo?

5. Describe o haz una lista de todos tus logros o los que entiendes son más relevantes.

6. Si tuvieras que dejar atrás todo lo que tienes y todo lo has logrado y quedarte solo con tres cosas, ¿cuáles serían?

7. ¿Cuáles son tus sueños?

8. ¿Qué atributos piensas que te faltan para lograr todos tus sueños?

9. De todo lo que sabes y puedes hacer, ¿cuál te hace vibrar o llorar de emoción?

10. ¿Qué cosas no toleras ni estás dispuesta a hacer?

11. ¿Qué cosas haces naturalmente, sin mucho esfuerzo, y que otros no pueden hacer bien?

12. ¿Cuál es el don único y especial que tienes para ofrecer al mundo que nadie más puede dar como tú?

13. ¿Para qué la gente te busca regularmente?

14. ¿Cuál es tu poder interno?

15. ¿Quién eres?

16. ¿Cómo te gustaría ser recordada?

17. ¿Qué legado quisieras dejarles a tus hijos o a las personas más importantes en tu vida?

Ejercicio 2

Círculo de Perspectiva Personal

En una escala del 0-10, (0 es totalmente insatisfactorio y va en el centro del círculo y 10 es completamente satisfactorio), decide dónde consideras que estás en cada área de tu vida en este momento. Escribe ese número en el área adecuada de la circunferencia.

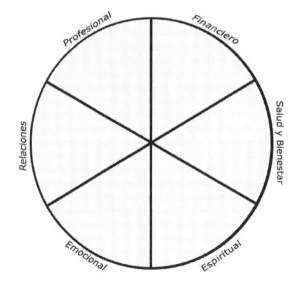

Ejercicio 3

Identidad: Herencia y linaje

Saber de dónde vienes, cuáles son las costumbres familiares, qué dones y tendencias predominan en tu familia es parte de conocer nuestra identidad. Si puedes, usa datos que te provean un panorama más amplio de quién eres y para qué estás aquí.

a) Familia: estudia un poco más tu genealogía y tus antepasados.

   ¿De dónde provienen?

   ¿Cuáles son las costumbres en tu familia?

   ¿Qué talentos o habilidades predominan?

   ¿Hay llamados proféticos?

   ¿Cuáles situaciones o incidentes tienden a ocurrir?

   ¿Cuáles enfermedades y trastornos se repiten, sean genéticos o no?

   ¿Qué tipo de pensamientos, creencias y actitudes predominan?

   ¿Hay muchos divorcios, lo normal o es algo raro?

   ¿Hay suicidios, asesinatos o es una familia pacífica, unida y feliz?

b) Procedencia geográfica: estudia un poco el lugar de dónde vienes, tanto tu país como tu pueblo y tu barrio.

¿Qué energías (espíritu) predominan (pobreza o abundancia, enfermedades, adicciones, sabiduría, vidas turbulentas o pacíficas, muertes naturales o trágicas).

¿Cuáles son las actitudes, los pensamientos y las cualidades de la gente, en general?

c) ¿Cómo son las mujeres en tu familia? Marca las que apliquen de esta lista y añade todas las que se te ocurran.

□ Líderes   □ Seguidoras   □ Trabajadoras   □ Sumisas
□ Rebeldes   □ Alegres   □ Deprimidas

_____   _____   _____
_____   _____   _____
_____   _____   _____
_____   _____   _____

Estas y otras cosas influyen en nosotras lo queramos o no. A veces, son la razón por la que nos apartamos de la familia, si ese fuera el caso. *Lo que queremos no es luchar contra lo que encontremos* sino reconocerlo, cancelar en nosotras lo que no nos sirve, cubrir en oración a los nuestros y reclamar aquello que sí nos sirve y deseamos para nosotras.

¿Estás lista para reclamar quien *eres* en realidad?

¡Recobra tu identidad y reclama tu herencia divina!

Espero que hayas reflexionado bastante y que te hayas hecho muchas preguntas y que hayas recibido respuestas. Espero que, al menos, algo nuevo hayas descubierto sobre ti misma que te permita avanzar en tu camino en las próximas semanas. Y si no descubriste nada nuevo porque ya sabes bien quién eres, entonces espero que el proceso te haya ayudado a confirmar tu creencia de ti misma y reforzar cualquier cosa que hayas dudado en algún momento.

Es difícil tener plena confianza y seguridad en ti misma cuando apenas te conoces. Por eso, la primera etapa es tan importante: te ayuda a desarrollar confianza en ti misma porque sabes quién eres y conoces tus fortalezas y tus debilidades.

Conecta con la fuente de todo

Conocerte es solo parte de lo que necesitas para manifestar con poder. Reconocer que hay una fuente divina de poder y estar conectadas con esa fuente es aún más importante.

Debes reconocer que eres parte de un todo. Que lo que experimentas en tu vida es parte de u.n plano más grande. Que tu propósito está, directamente, enlazado al resto de la humanidad y hay una responsabilidad en cumplir con tu parte porque afecta a todos directa o indirectamente.

Todavía en esta etapa estás trabajando en tu interior. Recuerda que manifiestas fuera de ti lo que llevas dentro. Por eso debes conocer primero lo que hay dentro y luego transformar lo que no te sirve o es incongruente con tu propósito.

Esta etapa es para encontrar tu "centro", tu esencia, tus dones, tu regalo único al mundo.

Es también la etapa de sanar, de reconocer y de honrar. Reconocer que todo lo que ha ocurrido en tu vida tuvo su causa pero también tiene su propósito. Ya sea que fuese para moldearte, fortalecerte, guiarte por el camino que te corresponde o llevarte a descubrir algo más grande que tú misma. Y si no lo ves así, al menos puedes reconocer que eso te ha traído hasta aquí hoy y es parte de este proceso maravilloso en el que estás ahora. Por tanto, merece también tu respeto y agradecimiento.

Agradecer y honrar todo es aceptar que *no eres víctimas de las circunstancias*, sino que eres un ser sabio con la capacidad de influir en tu entorno para llevarte a crecer en las áreas que necesitas hacerlo para luego cumplir con tu parte.

Cuando no lo ves de esa manera te resistes; la resistencia y el rechazo provocan toda una serie de reacciones conscientes y subconscientes como enfermedades físicas y emocionales, amargura, ira, depresión y desbalance. También provoca que te pierdas un poco y no logres moverte de lugar.

Así que, agradecer y honrar es soltar toda emoción negativa respecto a las cosas que has vivido y puedes decir:
> *"Soy un ser sabio y capaz de transformar mi realidad. Agradezco todo lo que he vivido porque me ha traído a este momento y ahora puedo reconocer mi grandeza y mi poder".*

Cuando sueltas esas emociones negativas y reconoces quién eres en realidad, te empoderas para ser proactiva en el diseño de tu vida de ahora en adelante. No esperes a que las cosas te sucedan, participa activamente como cocreadora consciente de tu realidad. ¡Eso es bien poderoso!

Esto cambiará tu perspectiva de todo. Si no eres víctima quiere decir que tienes el poder de cambiarlo. Eres responsable de lo que ocurre en tu vida y la influencia que tienes en los demás. Usa eso para edificar.

Ejercicio 4

Ejercicios recomendados para la conexión

En esta etapa, recomiendo hacer cosas que te relajen y actividades que activen libremente tu creatividad. La relajación te ayudará a conectar con tu esencia divina y las actividades creativas te ayudan a conectar con tus dones y habilidades únicos.

- Para conectar con tu esencia:
  - Medita
  - Haz ejercicios de relajación y controla tu respiración
  - Camina por el campo o un lugar que te guste rodeado de la naturaleza
  - Entra en contacto con la naturaleza y los elementos; esto puede ser hasta disfrutando del agua caer sobre tu cuerpo cuando te bañas; sembrar, caminar descalza en la grama, observar a los animalitos en su hábitat u observar la llama de una vela
  - Cualquier otra cosa que haces que te ayude a relajarte

- Para activar tu creatividad:
  - Dibuja
  - Canta
  - Baila
  - Colabora en algún proyecto artístico
  - Crea algo con tus manos
  - Compón canciones o escribe poesías
  - Escribe
  - Decora un espacio
  - Haz algo que te divierta y no hayas hecho nunca o no lo haces con frecuencia

En estas actividades podemos dejar que fluya y se manifieste la expresión de nuestra alma. No tienes que obligarte a hacer algo que no quieres como tampoco debes resistirte si sientes en tu corazón hacer algo que parece un poco extraño.

Algunas personas en esta etapa entrarán en contacto con algo que disfrutaban hacer de pequeñas y otras quizás descubran una nueva pasión o incluso un talento oculto. No importa cuán sencillo o complicado parezca, si sientes hacerlo y no daña a nadie, haz caso a tu instinto y ¡diviértete!

Todas nacemos con habilidades y dones naturales, pero a veces, por las experiencias de la vida las dejamos inactivas. ¡Es hora de conectar sanamente con esa niña otra vez!

En lo personal

Cuando yo era pequeña dibujaba, tocaba el órgano y cantaba. También llegué a escribir poesías. Cuando tenía 34 a 35 años, en pleno proceso de autodescubrimiento, recordé todas estas cosas y me pregunté por qué había dejado de hacerlas.

Parte de la respuesta es que cuando crecemos nos involucramos en tareas "de adultos" y simplemente nos desconectamos de nuestra niña. Pensamos que esas cosas son insignificantes. Pero en realidad son la manera en que se expresa nuestra alma. No tenemos que sacarles provecho económico a todos nuestros talentos. Algunos están ahí para que te sirvan de inspiración, de guía y de reconexión con tu ser.

La mayoría de los problemas que tenemos como adultas está directamente relacionado con esta desconexión de nuestra esencia y nuestra naturaleza. Reconectar con esta fuente es lo más poderoso y grande que vas a experimentar y, de ahí, todo lo demás fluirá.

Lograr esa conexión con tu esencia es clave para descubrir tu misión o propósito en la vida y conectar con ella. Hemos sido diseñadas para hacer algo en particular y antes de que se cumpla el tiempo de ponerlo en función, podríamos estar confundidas y sentirnos perdidas porque nos parece que no encajamos en ningún lugar. Pasamos por las etapas de que "todo me gusta, pero nada me apasiona", "nada me gusta" o "siento que no soy buena en nada". Pero cuando llega el tiempo, encontramos nuestra función, descubrimos en qué somos buenas y que nadie más puede cumplirlo tan bien como nosotras. Entonces nuestro propósito se vuelve claro, luego entendemos por qué no encajábamos en ningún otro lugar.

Medita en esto y contesta estas preguntas:

¿Para qué fuiste diseñada?

¿De qué manera sientes que eres diferente?

Identifica lo que realmente te apasiona

Todas hemos hecho algo que nos hace sentir de maravilla. Puede ser una labor social, un tipo de negocio o un pasatiempo; ese algo que te atrae y piensas que a eso te dedicarías con gusto por cómo te hace sentir.

Piensa en esa labor, esa tarea, ese negocio o trabajo que te hace sentir de maravilla.

1.   Identifica las emociones: ¿cómo te hace sentir?

2.   Identifica qué es lo más que te gusta de eso. Ejemplos: escuchar o hablar con la gente, crear, tener privacidad.

Ejercicio 5

El enunciado de mi misión

Este ejercicio te ayudará a detectar tu misión o propósito en la vida: eso para lo cual la vida te ha estado preparando. Vas a detectar, descubrir y recordar. No vas a "crear" ni diseñar nada todavía. Recomiendo que hagas este ejercicio después de terminar algún ejercicio de relajación y conexión.

Parte I:
Haz una lista de 10 cosas que quieres tener o lograr. Escribe, sin detenerte, todo lo que venga a tu mente durante cinco minutos. Puede ser en párrafo o una lista. Ejemplos: independencia económica, completar el bachillerato, mejorar mi salud.

Parte II:
Contesta estas preguntas en un máximo de dos minutos cada una.

1. Cuando sueño despierta, me veo...

2. Si tuviera tiempo y recursos ilimitados...

3. En mi vida profesional, los eventos de mayor satisfacción son aquellos en que...

4. En mi vida personal, los eventos de mayor satisfacción son aquellos en que...

5. Mi contribución futura para los demás será...

6. Tres talentos que me distinguen son _____, _____, _____ y tres talentos que tengo, pero no uso son _____, _____ y _____.

7. Algo que dije iba a hacer y no he hecho es...

8. Los modelos en mi vida son...

¿Por qué? ¿Qué modelaron?

9. Mis relaciones más importantes en este momento son... Escribe hasta siete personas.

	Nombres de personas claves en mi vida	Rol que cumple la relación en mí
1		
2		
3		
4		
5		
6		
7		

10. Mi legado a mis seres queridos es... Escribe el legado que le dejas a cada una de las personas claves de la pregunta #9.

	Nombres de personas claves en mi vida	El legado que le dejo
1		
2		
3		
4		
5		
6		
7		

Escribe durante cinco minutos *sin parar* y luego subraya las palabras claves. Las palabras claves son las que más se repiten o te impactan; por ejemplo: guiar, enseñar y ayudar.

Mi misión es…

Parte IV:

Escribe durante tres minutos usando las palabras subrayadas. Lo que escribiste anteriormente lo vas a reducir usando las palabras claves que subrayaste.

Parte V:

Redúcelo a una o dos palabras. ¿Cuáles palabras resuenan contigo?

¡Esa es tu misión en la vida!

Capítulo 2

Las cuatro dimensiones de la manifestación

¿Qué es manifestar? ¿Cuál es la clave para materializar las cosas que deseamos sin resistencia? ¿Cuáles son los bloqueos de la manifestación? ¿Cómo podemos crear nuestra realidad de manera consciente? ¿Cómo podemos ir de la visión a la acción para acelerar el proceso de materializar nuestros sueños?

Manifestar, es "materializar, concretizar y dar forma a lo que ya es dentro de nosotros" sea felicidad, abundancia, prosperidad, balance o cualquier cosa que deseemos hacer realidad. En otras palabras, lo que hacemos cuando estamos "creando nuestra realidad" es manifestar fuera de nosotros lo que existe en nuestra esencia interna, como una semilla. El manejo de energía (pensamientos, emociones, verbalizaciones) hace posible que saquemos de nosotros nuestro potencial y lo materialicemos.

Todo el tiempo estamos manifestando. La diferencia está en que ahora, siendo conscientes de que manifestamos según lo que llevamos en el interior, podemos tomar mejores decisiones e influir en nuestra realidad partiendo del conocimiento y de la asertividad de quiénes somos y el poder que tenemos para crear nuestra realidad. Ya no estamos en el lugar de víctimas de las circunstancias de la vida sino que, como cocreadoras, asumimos responsabilidad y transformamos nuestro presente y futuro.

Manifestar plenamente nuestros sueños requiere confianza, en una misma y en cómo funcionan las leyes del universo. Conocer estas leyes nos permite confiar en el proceso. Cuando confiamos en que todo lo que pedimos creyendo lo hemos de recibir, no generamos resistencia y, por ende, lo que creemos de todo corazón se manifiesta por medio nuestro.

Este capítulo es una guía sencilla y eficaz que abrirá tus ojos para ver de qué manera has estado "bloqueando" el proceso de manifestar lo que quieres aun después de haber puesto todo en orden para recibirlo.

Espero de corazón que con esta lectura puedas quitar del medio ese impedimento y comiences a manifestar con poder y autoridad lo que es tuyo por herencia divina.

En este capítulo repasamos:
- Cuáles son las cuatro dimensiones de la manifestación consciente
- Cómo mover la energía para que lleguen cosas mejores
- Cómo fluir en lugar de resistirte
- Cómo prepararte para recibir

Empoderarse es ser consciente de que el poder que necesitamos para crear cualquier cosa nace y emana desde nuestro centro. Es también reconocer nuestra responsabilidad de lo que pensamos, verbalizamos, hacemos y, por ende, los resultados que generamos.

Las cuatro dimensiones de la manifestación consciente

El proceso para manifestar (materializar lo que visualizamos) es realmente sencillo. Pero así de sencillo también puede ser complicarlo. Lo complicamos al pensar que es difícil, que solo gente que "domina" estos temas puede hacerlo, que tenemos que practicar mucho. Esto nos hace pensar demasiado y en pensar demasiado se generan miedos, ansiedad y desconfianza: bloqueos para la manifestación.

Pensemos por un momento en cosas positivas que has logrado manifestar. Si te fijas en los acontecimientos de tu propia vida, hay cosas que llegaron con mucho esfuerzo, tiempo de espera y preparación. Otras en cambio, llegaron tan fácilmente que ni te diste cuenta de que lo estabas creando. ¿Y cómo es que para algunas tenemos que sudar tanto y otras llegan solas? La respuesta es la clave de lo que llamo las "cuatro dimensiones de la manifestación".

Fluir. Para fluir (manifestar intencionadamente y sin preocupación) lo que debe ocurrir de forma natural es lo siguiente:

1. Visualizar lo que queremos
2. Soltarlo
3. Disfrutar lo que tenemos
4. Permitir que llegue

Aquello por lo cual no te preocupas, pero que está en tu frecuencia vibratoria, comienza a llegar a ti en cuanto pones tu intención en ello. Por eso, esas cosas maravillosas te llegaron de forma inesperada porque simplemente lo visualizaste, al no afanarte ni preocuparte pudiste soltarlo, disfrutar el ahora y permitir que llegase a ti de forma natural. De repente lo tienes y piensas: "Wow, ¿cómo fue que esto ocurrió si ni siquiera me enfoqué mucho en atraerlo?". ¡Precisamente por eso! Le permitiste fluir y llegar a ser. No le añadiste toda esa energía tóxica de la preocupación y la ansiedad, ni creaste obstáculos que le impidiesen manifestarse. Solo lo dejaste llegar a ti.

Lo que ocurrió fue que te pusiste en sintonía con la frecuencia correcta y al no pensar demasiado en ello el universo hace su parte poderosamente porque tú no estás creando resistencia. Ni siquiera sabías que ya estaba en camino así que no sentiste miedo ni ansiedad y seguramente te dejaste llevar por las señales hasta recibirlo.

Así que, podemos manifestar de tres maneras. En realidad, es tu elección:

1. de forma involuntaria-subconsciente (manifiestas, pero no tienes el control y piensas que eres víctima de lo que ocurre).
2. de forma voluntaria-intencionada-preocupada (manifiestas pero con gran esfuerzo, paciencia y tiempo de espera).
3. de forma intencionada-despreocupada-feliz (para que fluya hacia ti eso con lo cual ya conectaste al momento de la visualización).

Para manifestar de forma intencionada-despreocupada-feliz te recomiendo seguir este plan (o más bien, permitirle ser ya que esto ocurre de forma natural cuando no nos resistimos). Así se aplican las "cuatro dimensiones de la manifestación consciente":

1. Visualiza lo que quieres.

   Imagínalo vívidamente, escríbelo y decláralo con tu boca.

2. ¡Déjalo ir!

   No te preocupes, ¡ocúpate! Toma acción confiada en que sucederá, no le añadas emociones negativas, fluye en el proceso y mantente alerta a las señales.

3. Disfruta lo que tienes ahora.

   Agradece, vive y verdaderamente disfruta lo que tienes en este momento. Nada es tan poderoso para elevarte a la próxima etapa de vida como este principio. Esto activa las emociones necesarias y te permite vivir en el presente.

4. Permite que llegue.

   El miedo y la ansiedad son bloqueos, no les permitas permanecer cuando se presenten, prepara el camino y tu vida para lo que está por llegar. Haz espacio, libera tu agenda, proyéctate como lo que deseas ser y gózalo desde ahora. Todos manifestamos todo el tiempo. Nuestra realidad y todo lo que la compone (trabajo, casa, cuerpo, relaciones, salud, bienestar, cosas) lo hemos manifestado de manera consciente o subconsciente. Dominar el arte de la manifestación es saber cómo funciona este poder que tenemos para crear nuestra realidad y hacerlo de manera consciente e intencionada. Y es verdaderamente sencillo. No lo compliquemos con la preocupación.

Cómo mover la energía para que lleguen cosas mejores

Demasiadas veces nos quedamos estancados, inmóviles, esperando que las cosas sucedan a nuestro favor. Nos enfocamos en "pensar, imaginar y hablar" lo que queremos pero no sucede nada.

Aunque hay varios factores que debemos corregir si este es el caso, una de las formas más rápidas y fáciles (además de divertidas) de hacer que las cosas sucedan es moviendo la energía. ¿Qué es eso de mover la energía? Simple, ponerte en acción haciendo cosas que te acerquen a la meta. No importa si son cosas grandes o pequeñas, la energía se mueve de todas formas porque nosotros y las cosas que nos rodean, así como las que deseamos atraer, también son energía.

En el año 2015, logré tener mi primer espacio privado de oficina. Fue en mi hogar y, aunque no era la oficina de mis sueños, sabía que si cuidaba de ella, era agradecida y hacía buen uso de ese espacio entraría en la frecuencia de cosas mejores por venir. Mientras tanto, la disfrutaba y así continuaba moviendo la energía. Un año más tarde, manifiesto la posibilidad de alquilar un espacio de oficina en un centro empresarial y, aunque tenía mucho miedo —esto era salir totalmente fuera de mi zona cómoda— elegí dar el paso y en pocos días, ya estaba establecida en mi nueva oficina.

¿Cómo moví la energía para crear mi nuevo espacio?

1. Dejé de quejarme del espacio que tenía (reenfoque).
2. Dejé de repetir "no tengo oficina" y comencé a decir que *sí* la tengo (el poder de la palabras).
3. Comencé a mostrarme agradecida con mi espacio, cuidando de él como si fuera el espacio ideal para mí (agradecimiento).
4. Comencé a visualizar que *sí* tengo el espacio soñado y a imaginarlo como lo quiero: colores, decoración, diseño, privacidad, comodidad y demás (visualización).
5. Lo creí y me convencí de que esto no solo era posible sino que también estas cosas que estaba haciendo me acercaban a materializarlo (creer-fe).
6. Lo solté, significa que no me puse ansiosa por si llegaría o no, no me preocupé, ni siquiera insistí en pensar más en eso (desapego).

Nota: Recuerda que esto aplica a cualquier área de tu vida. Piensa en tus finanzas, relaciones personales, tu cuerpo o incluso tu negocio, y aplica estos mismos principios para mover la energía y generar cambios.

Y eso aplica en cada área de la vida. Los pequeños pasos que damos en dirección hacia lo que deseamos mueven la energía a favor de eso. Pero fíjate que cambié las emociones negativas por la emoción positiva del agradecimiento. El agradecimiento es una emoción fuerte, una energía poderosa, cada vez que te sientes agradecida con algo y lo disfrutas, estás conectando fuertemente con la frecuencia de eso y esa frecuencia te lleva hacia cosas mejores.

Cómo fluir en lugar de resistirte

Cuando escuchamos la palabra "resistencia" inmediatamente viene a nuestra mente el "no querer hacer algo que sabemos debemos hacer", pero resistencia también se refiere a "insistir en hacer algo que no es lo que debemos estar haciendo". Sea cual sea el caso, la resistencia crea estancamiento y produce un estado de "siento que no me estoy moviendo". Si emocionalmente te sientes estancada, energéticamente también lo estás y la energía estancada produce todo tipo de síntomas y caos, incluida la enfermedad.

Lamentablemente, cuando la sociedad nos enseña a insistir, a no rendirnos y ser persistentes ("rendirse no es una opción"), llegamos a confundir "soltar" con "rendirse". Por eso cuando desistimos de algo luego nos sentimos mal, frustradas y con cargo de conciencia. ¿Dónde, entonces, está la línea entre persistir en algo que sí va con tu propósito o insistir en algo que no?

Todas en algún momento nos hemos resistido hacer o no hacer algo. Yo soy testigo de eso en mi propia vida; me he resistido de hacer lo que sé que tengo que hacer por miedo y también he insistido en ir por un camino que no necesito, casi siempre por confusión, por no estar conectada con quien verdaderamente soy. Y aquí está la clave: *la conexión con quien soy.*

Curiosamente, y esto también lo he experimentado, las cosas que "están para ti" suelen llegar naturalmente sin forzarlas, cuando estamos en ese estado de conexión porque no creamos resistencia. No significa que sea fácil, sino que aunque sea difícil puedes hacerlo y hasta disfrutarlo. Un ejemplo excelente es cuando la mujer da a luz; es doloroso y no es fácil, pero su cuerpo y todo su ser están tan preparados para eso que ocurre de forma natural y nada puede detenerlo.

¿Has notado cómo llegaste a conocer a alguien que ha sido clave en tu vida, coger algún curso que te ha ayudado muchísimo o emprender con éxito en algo que no planificabas y simplemente "se dio"? No lo estabas buscando, no hiciste planes, no estaba en tus proyecciones, sin embargo, cae perfectamente en tu camino para que puedas cumplir tu misión de vida.

Estas cosas suceden luego de momentos de conexión con tu ser. Recuerda que Dios está en ti y por medio de ti se manifiesta. Lo que viene a consecuencia de esa conexión es lo que algunos llaman "entrar en la frecuencia" de estas cosas que pudiste atraer a tu vida sin esfuerzo, sin tan siquiera pensarlo.

Para contestar la pregunta de cómo saber si debo o no persistir en algo, cuando sientas que no fluye, suéltalo, conecta contigo nuevamente: ¿qué sientes, qué te dice tu corazón? El que no fluya se puede deber a muchos factores: miedo o preocupación de tu parte, no es el momento, no te toca a ti hacerlo, entre otras. La única forma para saber si debes o no continuar es haciendo esa pausa para conectar contigo y con Dios en ti. Soltar es dejar la preocupación y confiar; confiar en tu poder interno, en que todo lo que necesitas para crecer y cumplir tu propósito llega a ti en el momento en que lo necesitas.

Para saber cómo entrar en esa conexión piensa: ¿qué cosas o actividades te ayudan a olvidarte de las preocupaciones? Meditar, dar un paseo por el campo, jugar, orar... todas son válidas. Haz la que más te guste y que te funcione. Dedicar un ratito a conectarte puede ser la diferencia entre moverte ahora o perder días, semanas o años en algo que no te corresponde.

Una carta para ti, Idáliz...

¡Confía, todo está en orden divino!

Es interesante ver como la vida te va llevando y las cosas maravillosas que encuentras en tu camino cuando no te resistes y das permiso al universo para que te guíe. Al confiar y fluir, las puertas se abren, las personas llegan, los recursos aparecen y das un salto en tu evolución. No te resistas, abre tu corazón y tus ojos y déjate guiar.

Al inicio del mes de febrero, en la escuela de mi nena, me dieron lo que yo percibí en ese momento como una mala noticia. Me derrumbó y caí en un llanto desesperado. Pero en medio de ese dolor traté de escuchar mi corazón, de recordar que todo ocurre en sincronización con un propósito divino y mi instinto me llevó a llamar a Carmen Montoto, una querida amiga con quien no tenía contacto desde hace un tiempo. Para hacer el cuento corto, además de que recibió a mi nena para ayudarla, aprendí sobre Brain Gym, Hemi Sync y recibí información acerca de un interesante taller titulado "La Fisiología del Aprendizaje".

En cuestión de un mes puse en práctica lo aprendido sobre Brain Gym y los sonidos de Hemi Sync, asistí al taller y obtuve mi certificado en The Physiological Basis of Learning, conocí a la Dra. Hannaford y adquirí una copia autografiada de su libro Awakening The Child Heart – el cual está "out of print". Lo que aprendí en el taller fue espectacular y abrió mi mente a un campo de maravillas y misterios de los cuales no conocía o había escuchado muy poco. Y todo esto a raíz de lo que, en su momento, para mí, parecía una gran crisis difícil de superar. ¡WOW!

De hoy en adelante declaro que "no me resistiré, abriré mi corazón y mis ojos y me dejaré guiar porque sé que me esperan cosas más grandes de las que pensé y más maravillosas de lo que puedo imaginar."

-Idáliz

Con la Dra. Hannaford en su taller "La Fisiología del Aprendizaje".

Prepárate para recibir

Una de las cosas que impide que lleguen a nosotros las cosas que hemos visualizado, es que las cancelamos antes de que se manifiesten por nuestra forma de hablar y actuar. Recuerda que todo, nuestros pensamientos, nuestras palabras y también nuestras acciones tienen efecto en nuestras emociones. Y las emociones son energía que tiene el poder de atraer o alejar, literalmente.

Tus palabras provocan emociones fuertes que si no las dices con cuidado puede ser que estés alejando de ti lo que ya creaste en tu interior. Por ejemplo, si estás visualizando abundancia pero al hablar lo que comunicas es "no tengo", lo que haces es cancelar la visualización. ¿Por qué? Porque al decir "no tengo" evocas en ti emociones de escasez, cancelando así las emociones positivas que generaste al visualizar la abundancia. Al cambiar las emociones también cambiarán tus acciones y tu actitud porque estos se producen desde el pensamiento y la emoción.

Por lo tanto, para que todo esto funcione, deben estar alineados tus pensamientos con tus emociones, palabras y acciones. Como ves, todo está relacionado y no existe forma en que se pueda afectar uno sin afectar otro. Para bien o para mal.

Pero vamos un poco más allá. Es de conocimiento común que el 90% de nuestras acciones provienen del subconsciente y surgen de forma natural, habitual y espontánea. Es lógico, entonces, que si queremos lograr resultados diferentes debemos hacer el cambio en esa programación mental del subconsciente. Entonces, si logramos reprogramar nuestra mente con éxito nuestras acciones deberían fluir naturalmente sin requerir mucho esfuerzo de nuestra parte. Por el contrario, si notamos que estamos esforzándonos demasiado para tomar una acción que se supone nos ayude a alcanzar la meta o que nos estamos saboteando en el proceso, significa que aún no hemos grabado bien esa nueva información.

Las emociones son una de las herramientas más poderosas en el proceso creativo pero, ¿cómo puedes *sentir* algo que no se ha materializado aún? Este paso es necesario para recibirlo, por lo tanto, es importante discutirlo y dominarlo. Vamos por partes. Primero, hay ciertas cosas que pueden ayudarte a "sentirlo", antes de *tenerlo*, como:

1. Visualizar

Para crear debes utilizar tu imaginación y el mundo de las ideas para ver lo que quieres con lujo de detalle.

a) En este proceso de imaginación, transpórtate a ese lugar o situación donde ya eso que quieres "es". Imagínate que lo vives.

b) Cuantos más sentidos apliques a este proceso de imaginación, más resultado tendrá en tu subconsciente. Por ende, imagina olores, sonidos, tacto y gusto, además de la vista.

2. Actuar

Una vez escuché a una persona muy próspera decir: *"fake it 'til you make it"*, significa que actúes como que ya es, hasta que sea real. ¡Ese dicho se quedó grabado en mi mente como un impreso! Mucho antes de tener mi negocio, antes de salir a reuniones, antes de dar talleres y conferencias, yo comencé a vestir, hablar y presentarme como que ya era lo que quería ser. Ahora estoy viviendo esa realidad tal y como la imaginé. ¡Es muy poderoso!

3. Creer y confiar

Cuando conoces y aceptas cómo funciona el proceso creativo, cuando entiendes que literalmente en tu boca está "la vida y la muerte", que cuando pronuncias palabras estás diseñando tu futuro en tiempo real, ¡se te hará más fácil creer! Esto no es un secreto de los maestros del libro *El Secreto* de Rhonda Byrne, son conceptos conocidos ya por siglos que incluso la Biblia menciona claramente. Lo experimentamos todo el tiempo, a veces, sin percatarnos. Somos cocreadoras y todo el tiempo estamos creando.

4. Agradecer

Enfócate en lo que quieres mientras disfrutas lo que tienes. Muchos expertos hablan de que debemos ser agradecidos de lo que tenemos para atraer más cosas de las que puedas estar agradecido. El libro *El Secreto* te lo dice y, de hecho, creo que es el factor común entre todos los maestros de esta enseñanza: la gratitud.

Pero hay un problema. Es que muchas personas *no* reconocen lo que tienen. Peor aún, si lo reconocen, tienden a perderlo de vista mientras se enfocan en lo próximo que quieren. Están tan enfocadas en sus maravillosas metas que pierden contacto con su realidad en este momento y con las metas que ya han alcanzado.

¿Cuál es el peligro de perder de vista lo que ya tienes? Simple, no puedes sentirte bien ni agradecido de algo que *no* reconoces. Y si no te sientes bien ni agradecida, ¿qué atraerás? Mientras no reconozcas lo que ya tienes y que en realidad ya eres rica, tus "metas" siempre estarán en el futuro. ¡No las alcanzarás! Analiza eso un momento. ¿No es tu presente, el futuro de tu pasado? O sea, que hoy tienes muchas de las cosas que pediste en el pasado. Las tienes ahora, están en tu presente realidad. ¡Lo creaste con tu pensamiento, con tu actitud, con tus acciones! Si puedes detenerte un momento y pensar en todo lo que *ya* tienes te darás cuenta de que ya ¡eres verdaderamente rica!

La energía que emana desde nuestro centro se materializa fuera de nosotras en cosas, personas y situaciones de vida. Tiene más fuerza y poder de lo que pensamos. Basta ver los resultados que estamos obteniendo para conocer la esencia de la energía que emana desde adentro. Por lo que, si quieres otros resultados, antes de "hacer las cosas" de manera diferente, primero debes conectarte con una energía diferente. Esa es la raíz de todo.

Maneja tu energía y desarrolla inteligencia emocional

Cambia tus creencias, miedos, pensamientos y percepción. Entra en un estado consciente de tu poder interno y cómo se manifiesta en el exterior.

La primera etapa fue de observación, descubrimiento y conexión mientras que, en esta etapa, vas a comenzar a generar cambios y crear de forma consciente, pero a nivel interno, trabajando pensamientos y emociones.

La mayoría de las personas brinca a esta etapa cuando desea materializar algo, pasando por alto la primera etapa, que es tan importante. Pero esta etapa de creación interna es más efectiva si nos damos el tiempo de pasar por el proceso desde el inicio.

Las emociones son la materia prima con la cual manifiestas tu realidad.

Por eso es importante ser consciente de cuáles emociones guardas en tu corazón y, más importante aún, transformarlas a emociones positivas y de poder para manifestar los resultados que deseas.

En esta etapa, comienzas el proceso de empoderamiento. Ser empoderada significa que eres consciente de tu poder (lo reconoces), tienes control de él (controlas tus emociones-energía) y lo utilizas con intención (enfocar a un punto definido).

Usarás tu propio poder para motivarte y diseñar tu vida con las herramientas que posees internamente, para que puedas declarar, reforzar el yo, controlar el uso de los pensamientos, la imaginación, las palabras de poder y el manejo de las energías.
Podrás transformar tus emociones de complejos, inseguridades, percepciones erróneas, sentido de culpabilidad o de víctima, a perdonar y amarte.

Habiendo descubierto más sobre ti misma y conectado con tu esencia y tu propósito, ahora estás preparada para diseñar, en tu mente y tu corazón, lo que verdaderamente deseas y está en armonía contigo.

Vas a diseñar, en tu mente, con toda la seguridad de quién eres y para qué estás aquí. Ya te tomaste el tiempo de estudiarte, conocerte y descubrir tus talentos ocultos. Ahora vas a tomar la decisión consciente de poner en uso lo que se te ha dado.

Recuerda que todo es energía. Nuestros pensamientos, emociones y palabras son energía que impulsa a que tomemos acción para manifestar nuestra realidad. Tenemos la capacidad de hacerlo de forma consciente y voluntaria.

Pero la energía no se mueve sola por eso debemos tomar acción, dar el paso de fe para que lo que pensamos llegue más allá del simple pensamiento. *Nada ocurre hasta que algo se mueve.*

Ejercicio 6

Genera nuevos pensamientos positivos

Crea tu propia lista de declaraciones positivas, puedes tomar algunas del ejemplo que incluyo abajo. Estas son algunas de mis declaraciones diarias. No solo me ayudan a fortalecer mi autoestima, también me recuerdan quién soy. La repetición de cada declaración hace que la memoria lo capte hasta que se interiorice y forme parte de ti. Llegará el día en que no tendrás que repetirlas conscientemente porque tu propio subconsciente lo habrá captado y te lo recordará a cada instante.

Mis declaraciones positivas:
- ✓ Tengo la capacidad de lograr todo lo que me propongo.
- ✓ Tengo el control de mi vida.
- ✓ Soy exitosa.
- ✓ Reconozco mis habilidades y las aprovecho al máximo.
- ✓ Nací para triunfar.
- ✓ Tengo el poder de impactar a quienes me rodean.
- ✓ Tengo todo lo que quiero y soy agradecida por eso.
- ✓ Estoy rodeada de amor.
- ✓ Soy luz.
- ✓ Yo soy próspera y abundante.
- ✓ Yo manifiesto el poder de Dios que habita en mí.

Escribe tus declaraciones positivas aquí:

Decretos de Vida

Yo, elijo vivir en mi naturaleza pura
del espíritu.

Hoy, libero mis deseos y permito que el universo
arregle los detalles según el plan divino.

Hoy, renuncio a mi apego al desenlace de las
cosas y vivo en la sabiduría de la incertidumbre.

Hoy, elijo vivir y disfrutar cada momento
de mi vida.

Yo, utilizo mi potencial al máximo.

Mis palabras construyen, motivan,
enriquecen y sanan.

Mis palabras son poderosas.

Todo lo que toco prospera.

Hoy, estoy abierta a recibir bendición en
abundancia.

Hoy, me conecto con mi ser para vivir mi
máxima expresión.

Ejercicio 7

Genera nuevas emociones positivas

Esta debe ser la parte más fácil, sin embargo, demasiadas veces nos dejamos ahogar en emociones contrarias a lo que queremos. Para activar en ti las emociones positivas necesarias para crear tu nueva realidad, solo debes hacer las cosas que activan dichas emociones.

Por ejemplo, hace años, cuando aún no era empresaria, pero ya sabía que quería serlo, comencé a vestir como empresaria, a comportarme como empresaria, a proyectarme como empresaria. Eso fue muy poderoso simplemente porque me hacía sentir que ya era lo que quería ser. Las emociones llevan a la acción. Por eso al sentirnos de cierta forma nos comportamos de cierta forma, haciendo que se convierta en realidad eso que sentimos.

Esto es real tanto con las emociones positivas como con las negativas. Por eso debemos estar alertas de qué es lo que estamos sintiendo y buscar la forma de estimularnos nosotras mismas a sentirnos bien.

Ideas para activar las emociones correctas:
1. Modifica tu vestimenta (si aplica).
2. Visita lugares específicos que te hagan sentir que lo lograste.
3. Repasa tus notas de las veces que has logrado alcanzar una meta.
4. Dedica tiempo a repetir tus declaraciones positivas y visualizar tu meta realizada.
5. Compra algo simbólico. Por ejemplo, si deseas una nueva oficina, compra algo que usarías para decorar tu nuevo espacio o dar la bienvenida a las personas que te visitan.
6. Haz, al menos, un nuevo contacto con alguna persona que se mueva en los círculos a los que aspiras.
7. Crea tarjetas de presentación con el título de lo que estás declarando. No tienen que ser muchas. Recuerda que estás jugando.
8. Pídele a alguien de confianza que te apoye llamándote como deseas que te llamen.

En fin, hay miles de formas de jugar con esto. Estarás cambiando tu percepción de ti misma con declaraciones, visualizaciones y acciones de tu parte. Es la forma de ser proactiva en la realización de tus metas en lugar de esperar a que se den por sí solas.

Sobre todo... ¡diviértete! Disfrútalo. Si realmente crees que lo vas a lograr y que estás manifestándolo con tus pensamientos y emociones, entonces no deberías estar preocupada ni ansiosa, debes sentir alegría y emoción por todo lo que viene de camino para ti.

Capítulo 3

Si prestamos atención, todo nos enseña

La lección del espejo: Cuando me encuentro a mí misma en lo que me rodea, entonces soy libre

Las personas y situaciones son espejos de uno mismo. Cuando ves una mancha en la camisa que se refleja en el espejo, tienes que quitarla en tu ropa no en el espejo. ¡Ha sido una de las lecciones más grandes en mi vida! Cuando aprendí esto me di cuenta que las personas que tengo alrededor que tanto me critican y juzgan es porque yo misma me juzgo y no me daba cuenta.

Criticarme, juzgarme y castigarme no lo hacía conscientemente, todo esto era a nivel subconsciente. No me había dado cuenta hasta que hice el ejercicio y escuché las palabras de otros hacia mí. Si yo no me creo suficiente y no lo reconozco, otros me lo dejarán saber probablemente sin darse cuenta tampoco. Es subconsciente de su parte y el problema no son ellos, estaba en mí.

Esto incluye a esas personas que han entrado a tu vida y piensas que son una maldición o un problema. ¡Presta atención! Hay que ver qué es lo que te muestran, por qué lo atraje a mi vida. Es posible que sea una mala persona, nada justifica lo que hace, pero quien atrae las cosas a mi vida soy yo misma y esa persona no tiene ningún poder en mi vida excepto el que yo le doy. Y el poder que le otorgo es ese. Porque soy un ser de luz poderoso permito que seres como esos entren en contacto conmigo para que me muestren lo que hay mal en mí para corregirlo. ¡Qué cosa tan maravillosa!

A veces creemos que quienes nos enseñan son solo los seres buenos o de luz, pero no siempre es así. Un ser de luz probablemente no va a criticarte, juzgarte, envidiarte para que te des cuenta de que tienes que corregir algo. Solo seres que no son de luz o no tienen suficiente luz en un momento dado pueden servir para eso. O sea, se necesita la sombra para mostrar la luz y lo negro para mostrar lo blanco. Así que esas personas que consideramos negativas o tóxicas son necesarios también y cumplen una función bien importante. Hasta eso debemos aprender a reconocer y aceptar.

Si quieres saber el porqué de las cosas que pasan o lo que hay en tu interior observa hacia afuera sin juzgar ni tratar de descifrar todo lo que ocurre a tu alrededor. Igual que mirarnos en el espejo para saber cómo me veo, ¿por qué no mirarme a mi misma sin el espejo? Porque en el espejo se ven las áreas que no alcanzamos a ver mirándonos nosotros.

Así también la gente es reflejo de uno. "Observa" sus actitudes, sus palabras hacia ti, lo que tienes o lo que falta, lo que quisieras ver en el escenario y no está y también lo que está demás y no quisieras esté ahí. Como si fuera una película, observa, escucha, medita...

Lo que vemos en otros, o lo tenemos o lo carecemos. Por ejemplo: no puedes ver grandeza en otros si no existe en ti. Todo lo que admiras de otros lo tienes, si no, no podrías verlo. ¡Es el universo dándote la señal de que en ti existe eso! Por otro lado, lo que te molesta en otros causa malestar en ti porque es algo que debes corregir. Sucede una de dos en este caso: o es algo que también haces y no lo has podido reconocer; o es algo que deberías hacer y tampoco lo has reconocido.

Suena complicado, pero es sencillo. Toda corrección de *todo* lo que pasa a nuestro alrededor se debe hacer *dentro* de uno mismo. Porque *todo* está ahí para enseñarte. Imagina que eres el *centro del universo* y todo lo que existe en tu mundo está a tu servicio. La gente, las cosas, las situaciones, *todo*. Todo es para enseñarte a ser mejor persona, "calibrar" sería la palabra correcta, o sea poner en orden: lo que está demás bajarlo a su nivel y lo que falta, subirlo.

Cuando te enfrentas a una situación (palabras que te hayan dicho y demás) que te molesta o te frustra, piensa: ¿de qué manera yo hago eso o de qué manera yo debería ser más así?

Una de las personas de quien más aprendo es de mi esposo. Somos muy diferentes en muchas áreas y, en definitivo, he visto como el universo hace balance cuando lo que carece en uno se intensifica en el otro. Antes de yo entender esto, cada vez que él hacía algo que me molestaba, simplemente me ponía a la defensiva. Ahora observo y me pregunto por qué me molesta su actitud o comportamiento y, en muchas ocasiones, he encontrado que su actitud no está mal, me molesta porque yo debería ser un poco más como él en ese aspecto y no me había dado cuenta. En otras ocasiones, su actitud refleja un comportamiento que también está en mí y no he notado —o no he querido aceptar— y eso es lo que causa la incomodidad en mi. La vida nos une a las personas que necesitamos en el camino para ser "moldeados". ¡Es verdaderamente increíble!

Lo maravilloso de todo es que al darme cuenta, aceptar y amar incondicionalmente (tanto a él como a mí misma) puedo dejar de juzgar y culpar para hacer el cambio en mí reconociendo que tengo un déficit y eso es lo que está provocando el desbalance.

Cuando una persona me critica, soy yo quien me critico y me castigo internamente. Cuando otros me traicionan, soy yo quien me estoy traicionando. Cuando otros no ven mí valor es porque yo misma no lo he visto. Cuando me amo como soy y soy libre de eso, las personas dejan de hacerlo porque no hay energía que alimente sus acciones.

Cuando estás en paz contigo misma ya no sientes la necesidad de defenderte ni probar tu punto... puedes ser feliz.

Todo tiene una razón de ser

Cada situación, relación, encuentro con personas en nuestra vida es parte de nuestro proceso de evolución. Es por eso que aunque en el momento no lo entendamos nuestra actitud debe ser de agradecimiento. Cuando se presente una situación o persona pregúntate:

¿Qué viene a enseñarme esta situación?

¿Qué es lo que el universo desea mostrarme?

¿Cómo puedo crecer de esta experiencia?

¿Cómo esta persona aporta a mi vida?

¿Cómo puedo agregar valor a la vida de esta persona?

¿Qué me hace sentir?

¿Cómo puedo transformar mi energía interna (lo que pienso y siento) para influir positivamente en lo que sucede a mi alrededor?

Piensa en las personas a tu alrededor cuyo comportamiento no te gusta como si estuviesen enfermos.

¿Qué energía necesitan de ti para sanarse?

Nuestros pensamientos, nuestras emociones y nuestras palabras son energía que impulsan a que tomemos acción para manifestar nuestra realidad. Tenemos la capacidad de hacerlo de forma consciente y voluntaria.

Pero la energía no se mueve sola, por eso debemos tomar acción, dar el paso de fe para que lo que pensamos llegue más allá del simple pensamiento.

Estudio de caso: Amiga de Yari (nombre ficticio para proteger su identidad)

Una de mis clientas me presentó una situación que estaba enfrentando una de sus mejores amigas y me comparte su intención de ayudarla. Me pregunta qué le puede recomendar o decir para que la amiga salga de su situación. Esta fue mi respuesta.

Hola Yari,

Ok, es una situación difícil y delicada. Primero te pregunto, ¿ella está pidiendo tu ayuda?

Te pregunto eso porque uno por amor desea ayudar a las personas y eso está bien, pero cuando la persona no lo pide, seguramente tampoco la aceptará, no importa de quién venga.

Puedo entender que te duele verla así, pero para que funcione cualquier cosa que yo pueda decirte ella debe estar dispuesta a hacer su parte. Además necesitamos saber, para ayudarla de verdad, qué es lo que ella quiere. Si quiere olvidar lo que pasó y comenzar una nueva vida, si quiere que todo vuelva a ser como antes, si desea romper con el dolor de lo que está pasando, etc... Lo más importante que necesitamos saber para ayudar a una persona es qué quiere.

Ahora bien, vamos a ver qué podemos hacer de acuerdo con lo que hemos aprendido en el Círculo:
1. *Tú, como amiga, ¿qué crees que puedas decirle que le haga reflexionar y que le fortalezca?*
2. *Según lo que ya conoces, ¿ella es víctima de lo que le está pasando o es responsable y cocreadora de su realidad?*
3. *O, dicho de otra manera, ¿lo que le pasó fue un "accidente" de la vida o es parte su proceso en la vida?*
4. *Si es parte de su proceso en la vida y no un accidente, entonces, ¿cuál crees tú que será la lección que ella necesita aprender?*
5. *¿Qué cosas hace, dice o piensa que pudieron haber atraído esto a su vida?*
6. *¿Cómo podría cambiar entonces su situación para no volverlo a atraer?*
7. *Si tú estuvieses en su lugar, ¿qué harías? ¿Cuál sería el primer paso para arreglar el problema?*
8. *Si la tratas de ayudar y nada funciona, ¿qué herramientas tienes a tu disposición para ayudarla a la distancia?*
9. *¿De quién depende su felicidad?*
10. *¿Quién es la persona con el poder de hacer los cambios necesarios en su vida?*

Cuando tú misma puedas responder a estas preguntas, estoy segura de que podrás ayudarla, sea que tengas que intervenir directamente o que reconozcas que es mejor que la ayudes a la distancia.

Ahora piensa, ¿qué propósito tiene para ti en tu vida y tu propio crecimiento el que esta situación haya llegado a tu camino? ¿Cómo te sirve? ¿Te toca enseñarle una lección a ella o te toca aprender?

Seguimos, analiza todo esto y me escribes....

Tu coach, Idáliz

La "vaca" y el "gran pez"

Muchas veces, nuestro estado emocional está basado en una percepción errónea de la realidad. Si vemos algo como "malo" nuestras emociones responden con rechazo, miedo o precaución. Pero si ampliamos el panorama y consideramos otras posibilidades, podremos notar que la realidad es muy diferente a como pensábamos.

El concepto de la vaca viene del libro *La Vaca*[3] del Dr. Camilo Cruz. La "vaca" se refiere a eso que parece ser bendición pero te limita o te impide ver mejores posibilidades. Se refiere también a las excusas, quejas y justificaciones que nos mantienen dentro de nuestra zona cómoda.

El "gran pez" en nuestra vida, por otro lado, quizás es un poco menos obvio. El concepto viene de la historia de Jonás en la Biblia y el gran pez que se lo tragó. Siempre se ha visto esa historia como una de castigo y juicio o como consecuencia por su desobediencia y testarudez. ¿Pero, qué tal si, en realidad, es una historia de amor, de cómo Dios nos cuida y corrige nuestros errores y carácter para nuestro bien? Si el gran pez no lo hubiese tragado, él hubiera perecido.

Por lo que el gran pez es esa situación o "problema", incluso puede ser una persona, que parece ser una maldición para tu vida o algo bien malo y de lo que quizás te quejas, te lamentas y te preguntas por qué te pasó a ti, pero en realidad es el vehículo por el cual la vida, Dios, te salva de algo dañino para ti.

Todas tenemos "vacas" en nuestra vida y también hemos sido rescatadas en algún momento (quizás en la actualidad) por un "gran pez".

¿Qué es la vaca?

---

[3] Cruz, C. (2004). *La vaca*. Sunrise, FL: Taller del Éxito.

Hace algún tiempo, mientras leía un excelente librito que recomiendo a todas que lean si no lo han hecho ya (*La vaca* de Camilo Cruz), me percato de que muchas de mis supuestas limitaciones (si no todas) eran excusas por temor a enfrentar lo desconocido o lo que no me gusta. En este libro se les llama "vacas" por la historia que narra, muy interesante y educativa, por cierto. La vaca simboliza la excusa, la justificación, la queja, los hábitos, lo que tú misma pones en tu camino, quizás de manera subconsciente, que no te deja avanzar. Yo añadiría a esa lista, esa "zona de comodidad" a la cual nos adaptamos sin haber alcanzado nuestro sueño simplemente porque es más fácil "acomodarse" que seguir caminando y conquistando. Incluso, haciendo referencia a la historia del libro, la vaca puede representar algo que en tu vida parece ser una bendición pero que en realidad, aunque te ha servido por mucho tiempo, también te limita de hacer cosas más grandes, explorar opciones y descubrir tus habilidades.

Desde que leí el libro comencé a trabajar en mí. ¡Qué liberador saber que esas excusas, quejas y malos hábitos son una carga que no hay que llevar! Pude identificar varias vacas sobre mis hombros, pero también pude darme cuenta de todas las vacas que he dejado atrás y han muerto en el camino.

¿Suena familiar? ¿A ti no? Pues te felicito, porque la mayoría de nosotros los mortales tenemos una que otra vaca por ahí. Y ni te creas, algunas no son tan fáciles de detectar. ¡Se disfrazan hasta de personas!

Todos tenemos vacas, unos más que otros. Algunas personas son conscientes de cuáles son sus vacas, otras lo ignoran; pero están ahí, como grandes obstáculos que se levantan en el camino, te detienes ante ellas y dices: "no puedo seguir porque hay una pared ahí frente a mí". Lo curioso es que esa "pared" para ti es muy real aunque nadie más la vea. Pero más curioso aún, esa "pared" (la vaca) la creaste tú y si aprendes a detectarla, también puedes sacarla de tu camino o hacerla desaparecer.

Aprendí también qué es lo que crea y alimenta a las vacas: el miedo. El miedo al fracaso, el miedo a zonas desconocidas, el miedo a perder algo de valor, el miedo a perder el control, el miedo a comenzar de nuevo, el miedo al éxito... La vaca es obediente, solo sigue órdenes e instrucciones. Pero muchas vacas ya están automatizadas. Llevan tanto tiempo sirviendo el mismo propósito que ¡bah!... ya ni hay que ordenarles nada. Ellas solitas van, se paran frente a ti, y tú dices: "bueno, no puedo pasar de aquí... ¡porque ahí está la vaca"!

Estudiando un poco más y observando a las personas, pude identificar algunas de las cosas que decimos y que realmente creemos, que son limitantes y no debemos repetir. Hemos interiorizado estos conceptos erróneos a veces de terceras personas y otras las hemos creado nosotras mismas para "protegernos" de aquello que tememos o no queremos enfrentar.

Aquí hay una lista bien interesante de "vacas". Lee a ver cuáles te son familiares, no en otras personas, sino en ti. Pero no te quedes en identificarla, ¡elimínala de tu vida! Acepta que no te permite progresar y no tienes porqué aceptarla en tu vida. ¡Es hora de avanzar!

Nombres de algunas Vacas Famosas que las personas llevan:

1. Nadie me apoya.
2. No tengo estudios universitarios.
3. No soy buena en eso.
4. Las cosas están malas.
5. Es culpa de…
6. Me casé muy temprano.
7. Tengo que cuidar a mis hijos.
8. El mercado está duro.
9. Hay demasiada competencia.
10. Ya estoy vieja para eso.
11. Tengo una "buena" plaza en mi empleo.
12. Mejor me quedo aquí donde estoy "segura".
13. Es que mi papá era alcohólico.
14. No tengo tiempo (una vaca muy popular).
15. Las cosas están malas para todo el mundo.
16. Yo no sirvo para las ventas.
17. No me merezco cosas buenas (otra vaca popular).
18. Estoy conforme.
19. Ya estoy acostumbrada.
20. No tengo experiencia.
21. Es que necesito tal cosa primero.
22. Es que yo soy así.
23. Es que soy tímida.
24. Es que vengo de familia pobre.
25. Es que no se puede confiar en nadie.
26. No es fácil.

Y así hay muchas otras vacas. ¡Algunas nos fueron cedidas o las heredamos de la familia! Alguien te dijo "esta es la realidad de las cosas, así son" y tú aceptaste la vaca como un regalo que estás obligada a recibir. ¡Nada más lejos de la realidad! No tienes que aceptar ninguna vaca, venga de quien venga. Con mucho respeto contesta: Gracias, ¡pero esa no es mi vaca!

¿Cuál es tu vaca?

Algunas vacas se disfrazan de "verdad" y pensamos que son inevitables, que aceptarla es "ser realista". Pero si analizamos bien, todas son accesorios que no necesitamos y de las cuáles nos podemos deshacer, si así lo decidimos. Tampoco debemos preocuparnos por el "proceso" de quitarnos la vaca, es parte del aprendizaje y lo que nos fortalece.

¡Yo también tenía vacas! Estas son algunas vacas que descubrí:

1. "Si tuviese dinero haría tal cosa" o "quisiera hacer tal cosa, pero no tengo el dinero": como quiera que uno lo diga sigue siendo una vaca. Pero esta es una vaca disimulada, porque pocos la identifican como vaca y piensan que eso es ser "realista".

    Si bien es cierto que si no tienes el dinero quizás no puedas hacer o adquirir algo, pensar que dependes del dinero para hacer lo que deseas va totalmente en contra de las leyes del universo. En realidad lo que estamos haciendo es cediendo nuestro poder de decisión, le estamos cediendo el poder de crear y manifestar al dinero. Hablo sobre esto en el cuarto capítulo de este libro. Esta creencia era una vaca para mí, porque me limitaba de ver otras posibilidades. Hay muchas maneras de lograr nuestros objetivos aun sin tener dinero a la mano, incluidas las alianzas, las colaboraciones y los intercambios. Cuando vencí esta "vaca" pude crear y atraer cientos de oportunidades sin poner un centavo de mi bolsillo.

    Si aprendemos bien cómo funciona el universo, primero se sueña, luego se decide, luego se visualiza poniéndole emoción a lo soñado y luego se toma la acción necesaria para que eso llegue. Pero el modo en que llegará no depende de nosotros sino del universo y mucho menos depende del dinero que tengamos al momento. El dinero es un medio o recurso y no tiene poder en sí y mucho menos para decidir tu realidad. Así que eliminemos la vaca "es que no tengo" o "si tuviera dinero, haría...".

2. También detecté una nueva (¿o vieja?) vaca en mi vida: "estoy cansada de..." Me descubrí diciéndome esto a mí misma en relación a un par de cosas que se repiten en mi vida. Pero si estoy cansada de algo, ¿por qué no he hecho nada para cambiarlo? ¿Estaré lo suficientemente cansada, o aguanto un poco más? Esa es la cuestión. Si estoy cansada de algo, debo hacer lo que tenga que hacer para cambiarlo en vez de quejarme. Cuando estés cansada de algo en tu vida y no te quedan fuerzas para luchar, comienza dando pasos pequeños (pero firmes) en una nueva dirección.

¿Cómo elimino la vaca?

Soltar la vaca no siempre es fácil, será un proceso de práctica, mucha práctica. En especial para las vacas automatizadas. Bueno, pero si llevan tanto tiempo contigo y están tan bien adiestradas, ¿qué puedes esperar? Hay que darles nuevas órdenes.

> *"Querida vaca (rellanar nombre de la vaca aquí), sé que por años has estado a mi servicio y has seguido mis órdenes con diligencia, pero ahora soy una nueva persona, mis pensamientos han evolucionado, ya no necesito que me cuides de (rellenar), ya puedo y me atrevo a enfrentar mis miedos. Gracias, ¡pero NO gracias!*

La vaca tardará un poco en entender que ya no se le necesita, pero con determinación y práctica de tu parte, ella entenderá. Para eliminar una vaca la mejor forma es enfrentando a lo que le tenemos miedo, aunque sea con un paso pequeño.

Por ejemplo, hace varios años, antes de crear la Red Mujer Empresaria de Hoy, tuve que reconocer que era demasiado insegura y tímida y que eso representaba un bloqueo bien grande para mí según los sueños que tenía. Ese miedo me hacía poner todo tipo de excusas (vacas), postergaba cosas y llenaba mi tiempo con cualquier otra cosa que se me ocurriera. Como ves, el miedo crea vacas. Y las alimentamos al dejar que el miedo tome decisiones por nosotros y domine la situación.

Cuando tomas acción aunque sientas miedo, le estas dejando saber a la vaca que quizás pueda amedrentarte pero no detenerte. Estás tomando el control de tu vida y poco a poco el miedo se hace a un lado. Como el miedo es quien alimenta la vaca, ya sabes lo que ocurre entonces: la vaca muere.

Para trabajar con mi miedo, comencé a pensar y declarar en positivo hasta creérmelo y darme la fuerza suficiente para enfrentarlo. Un buen día, aunque el miedo aún estaba, los pensamientos y las declaraciones habían tenido tal efecto que sentía unas ganas enormes de enfrentar mi temor. Me ofrecí de forma voluntaria a dar una clase a un grupo de personas que nos congregábamos de forma regular. Jamás lo había hecho antes y estaba aterrada. Pero sabía que podía hacerlo... ¡y hacerlo bien! Y así fue.

Di mi primera presentación en público y fue tan buena que me pidieron que, por favor, la repitiera para los que se la perdieron porque no pudieron asistir. En todo momento sentí miedo. No te voy a mentir. Pero era un miedo diferente, que se fue disipando con cada minuto. Era un miedo vencido, que sabía que ya no podía dominarme y se le estaba acabando el tiempo. A partir de ahí las vacas que se alimentaban de ese miedo fueron muriendo sin darme cuenta. Simplemente dejaron de ser.

Aquí van los pasos:

1. Reconocer la existencia de las vacas: reconocer que el miedo las alimenta y que no aportan nada a tu vida, sino que te detienen.

2. Reconocer la naturaleza del miedo: ¿a qué le temes? Quizás a llamar la atención, a que te hieran, a no ser buena en lo que haces, al rechazo, a la responsabilidad.

3. Invalidar el temor, quitarle fuerza - Una manera efectiva que fue la que yo utilicé es haciéndote preguntas sobre ese miedo. Por ejemplo:

   o ¿Tengo que vivir con esto o lo puedo eliminar?
   o ¿Cómo sería mi vida sin ese miedo?
   o ¿Voy a permitir que ese miedo me impida alcanzar mis sueños?
   o ¿Qué paso, aunque pequeño, puedo dar para enfrentarlo?

Esto solo por mencionar algunas. Es una manera de cambiar tu propia perspectiva hasta darte cuenta de que no es tan grande y tenebroso como pensabas.

Qué más puede ayudarte en este proceso:

   o Pensar y visualizar en positivo.
   o No darle color al miedo (pensando en él y creando una historia de horror).
   o Visualizar tu vida libre y en control.
   o Declarar con tu boca tu nueva realidad libre.
   o Sobre todo, reconocer que quien creó el miedo y las vacas eres tú y con ese mismo poder puedes crear lo contrario, lo que realmente quieres en tu vida.

Es control, decisión y acción.

Y, qué hago con la vocecita que me dice: ¡sí, claro!

¿Te refieres a la vocecita interna que todos tenemos y que pone en duda o en ridículo cada nuevo pensamiento que nos proponemos? Claro, a mí me pasó y me sigue pasando. Nadie está exento a eso. Esa voz viene de tu subconsciente y está programada para reaccionar así. Aunque parece que se burla (casi la podemos escuchar riéndose, ¿verdad?) en realidad no es así. La función del subconsciente es responder según lo que nosotros mismos le hemos dado para que guarde en su memoria. Su función es de protección.

Cuando la vocecita hable ni luches en contra de ella ni le creas, simplemente escúchala para que sepas qué es lo que hay grabado en tu subconsciente. Y sigue declarando, en voz fuerte y firme hasta que la vocecita casi no se oiga. Estás reprogramando tu cerebro y eso es exactamente lo que ocurre cuando entramos en ese proceso. Si no te rindes al fin prevalecerá tu propia voz.

Aparte de eso, en *coaching* aprendemos que siempre pongamos nuestro enfoque en lo que queremos y no en el problema; ni siquiera en lo que deseamos cambiar, sino en dar los nuevos pasos que nos llevarán a la meta. Yo he cometido el error de pasar demasiado tiempo pensando, generando pensamientos positivos y estrategias, pero sin llegar a la acción. Más vale trabajar con un solo pensamiento positivo acompañado de un paso sencillo de cambio, que una larga lista de los mejores pensamientos y declaraciones sin hacer movimiento.

Una última clave: el amor. El amor a ti misma te ayudará a tener paciencia en el proceso y verte como el ser de luz en evolución que eres. Esta situación en tu vida no es un problema ni un atraso, es la razón de tú estar aquí. Viniste a aprender precisamente lo que estás manejando. ¡Y lo superarás espectacularmente!

Esto es un proceso. Con cada nueva etapa creamos nuevas vacas o detectamos algunas que estaban ocultas. ¡Recuerda que el temor es el principal causante! Tiendes a crear estas vacas-excusas para no tener que enfrentar eso a lo que temes.

Por ejemplo: si temes hablar en público aunque quieres ser maestra o conferenciante, puede que pospongas tus estudios, preparación o rechaces alguna buena oportunidad con la excusa de que "aún no estoy preparada", "no tengo tiempo ahora", "quisiera, pero tengo a mis nenes conmigo y la verdad no sé cómo lo haría con ellos".

Una persona que no está preparada (mejor dicho, dispuesta) a enfrentar ese temor, si le quitas la excusa se inventará otras. Creo que es tiempo de analizar lo que realmente queremos. ¿Qué es más grande para ti, el temor o la pasión por lo que deseas? Si en realidad lo quieres con todo tu corazón, es hora de enfrentar el temor o te impedirá obtener lo que tanto quieres.

No, no es tan fácil como suena aquí. ¿Pero sabes qué? Eres un ser poderoso. Dentro de ti ya tienes todas las herramientas que necesitas para vencer eso que temes. Cuando te lo propongas, obsérvalo desde un punto de vista de vencedora. Ten la certeza de que dominarás ese temor. Porque el temor no está ahí para vencerte, ¡sino para ayudarte a crecer! Crecerás cuando logres vencerlo. ¡Revisa tu finca! ¿Quedan vacas por ahí?

Identificar las vacas y el gran pez te permite tomar acción para vencerlos y rediseñar el próximo capítulo de tu vida.

Capítulo 4

Cómo reconciliar tu relación con el dinero

La Ley de la Manifestación aplica a todas las áreas de tu vida. En este capítulo, aprenderás sobre la energía del dinero, los "bloqueos" mentales que provocan resultados negativos en relación con este y cómo liberarte de ellos sanando esa energía en ti.

La relación con el dinero sana de la misma forma que con las personas:
- reconoce el problema
- comunícate
- llega a nuevos acuerdos

A "falta" de dinero aprendí a ingeniármelas sin él. ¡Logré hacer tantas cosas sin sacar un peso del bolsillo! Sin embargo, no me daba cuenta de lo próspera que era. Un día una persona de mucho dinero me llamó la atención por estar planificando un evento "sin dinero" para hacerlo. Me dijo que así no era como se hacían las cosas. Que estaba siendo irresponsable. Que necesitaba capital para pagar esto, aquello y lo otro. Por un momento al escucharla, olvidé todo lo que había hecho ya y le di la razón. "Qué estúpida soy", pensé, "por creer que puedo hacer esto si no tengo ni un peso".

Lloré y lloré desconsoladamente. Me sentí miserable, avergonzada y con mucho coraje por "no tener". Ese día "casualmente" recibí varias llamadas. Era como si Dios hubiera puesto en alerta a todas mis amigas para dejarles saber que yo las necesitaba. Una por una, me atendieron, me dieron palabras de aliento y me apoyaron.

¡La última llamada del día fue como recibir una patada de bendición en el trasero! Mi amiga me hizo consciente de todo lo que yo había hecho por años, sin dinero, y con mucho éxito; de todos los recursos que tengo a mi disposición, y de lo bendecida que era porque con solo compartir una idea había siempre un ejército dispuesto a servir e involucrarse de alguna manera. La llamada terminó, no sin que antes ella me dijera "Idáliz, aquí la rica eres tú. Tú puedes dar cátedra de lo que es una mujer verdaderamente próspera. Porque sin tener dinero, has logrado hacer lo que otros con dinero no han podido y siempre sales airosa".

Esa experiencia cambió mi vida para siempre. Aprendí lo que es prosperidad y abundancia desde el ser y desde la conexión con tu propósito y con Dios, la fuente de todo. Es cierto, yo no tenía dinero, pero tenía confianza en el Dios que guía mis pasos y caminé en obediencia hacia donde me Él me dirigía.

> ✓ Lección: El dinero es solo una de tantas herramientas para obtener lo que deseamos. Lo importante es que estés en el camino correcto, que te muevan las razones correctas y que no olvides jamás que ¡ya eres próspera!

Conéctate con la fuente de todo, enfócate en lo que deseas materializar y permite que te llegue de maneras inimaginables.

¿Cómo es tu relación con el dinero?

¿Manejas bien tu dinero? ¿Ganas dinero con facilidad? ¿Sabes retenerlo, hacer uso de él, invertirlo y disfrutarlo? A partir de las experiencias, creamos una "relación con el dinero" de la misma forma que nos relacionamos con las personas. Con algunas personas nos relacionamos muy bien. Cada encuentro o compartir con esa persona es un deleite, lo disfrutamos, aprendemos, nos contagiamos de su energía y recibimos a cambio lo que le brindamos: amor, respeto y placer, por ejemplo.

Pero con otras personas es diferente. Nos sentimos incómodas en su presencia. Hay roces, mal humor o simplemente nos sentimos abrumadas, no las comprendemos, a veces, ni soportamos escuchar de esa persona. La relación en fin, no es buena y, por ende, no resulta tan productiva ni energética y vigorizante como puede ser la relación con las personas con quienes sí nos relacionamos bien.

Pero una mala relación no siempre es tan obvia. A veces, no logramos comunicarnos bien con alguien o sentimos que esa persona no nos comprende. A veces, lo único que sabemos es que la cosa "no fluye" con tanta facilidad como con otras personas. Pero no sabemos por qué.

Pasa lo mismo con el Dinero (estoy escribiendo *Dinero* con mayúscula como un nombre propio porque quiero que pienses en el dinero como si fuese una persona).

Nuestra relación con Dinero determinará lo que obtendremos de esa relación

¿Alguna vez has tenido que abrir los canales de comunicación con una persona con quien quieres o tienes que relacionarte, pero con quien la relación no era buena? Seguramente, tuviste que armarte de valor y decir "tenemos que hablar", "quiero que esto funcione", "te amo, pero no nos estamos comprendiendo". Esto puede suceder con uno de tus padres, tu pareja, un hijo o cualquier persona a tu alrededor. En algunos casos extremos quizás sea mejor alejarse por el momento en lo que encuentras las fuerzas o el conocimiento necesario para enfrentarlo.

Pero con Dinero, ¡es mejor que lo resuelvas cuánto antes! De la misma manera que te enfrentarías a esa persona con quien no fluye la relación, te sentarás a dialogar con Dinero para mejorar la relación entre ustedes, porque te está afectando en casi todas las áreas de tu vida aunque no lo veas o no quieras aceptarlo.

Al igual que con las personas, una mala relación con Dinero puede deberse a una mala experiencia en el pasado, pensamientos contraproducentes, una mala imagen o percepción sobre el dinero que te llevó a crear patrones de "acciones inadecuadas" que refuerzan aún más la mala relación. Por más que tratas que el dinero llegue, por más libros que leas, por mucho que cambies las estrategias o mejores tus ofertas, el Dinero no parece llegar. Si llega, se va rápidamente porque la relación aún no ha sanado. En algún momento, "lo envías a volar" con tus acciones otra vez sin querer.

> Debes sanar tu relación con Dinero para permitir que llegue a tu vida abundantemente.

Abraza a tu niña interior

Hace tiempo leí un libro sobre nuestra manera de pensar y lo que viene como resultado. Es el libro *Los Secretos de la Mente Millonaria*[4] de T. Harv Eker. Leyéndolo fue cuando recordé mi experiencia con mi primera transacción económica o lo dura que fue, aún más, recordé lo que sentí. Y es idéntico a lo que sentía ahora en relación con el dinero: desvalorización, coraje, ansiedad, tristeza. Con razón no podía tener una buena relación con el Sr. Dinero.

También recordé mis episodios de cuando me desarrollé (físicamente) a temprana edad y las nenas me molestaban, ¡y los nenes ni se diga! Lo que me provocó muchas incomodidades y varios años después aumento unas libritas para dejar de "tener ese problema". Por supuesto, que no conscientemente.

En ambos casos pude ver a mi niña interior herida, desorientada por no saber lo qué pasa a su alrededor. Con lo que había aprendido de *Nacidos para Triunfar: análisis transaccional con experimentos Gestalt*[5] de Muriel James y Dorothy Jongeward apliqué lo siguiente:
El adulto (que ahora conoce ciertas cosas que el niño no sabía) debe hablar con su niño interior, primero para indicarle que todo está bien, que está seguro. Luego para explicarle ciertas cosas como son, ahora que tienes la madurez para entenderlas.

---

[4] Eker, T.H. (2015). *Los secretos de la mente millonaria*. España: Editorial Sirio.

[5] James, M. & Jongeward, D. (1986) *Nacidos para Triunfar: análisis transaccional con experimentos Gestalt*. EE.UU.: Addison-Wesley Iberoamericana.

Es como hacer las paces con ella. Por ejemplo, si le tienes miedo a la oscuridad, al prestar atención a tu niña seguramente la verás aterrorizada por alguna cosa que vio, oyó o creyó. La verás escondida de algo que no es real o incluso de algo que sí lo es pero que no puede hacerle daño. Así que tu adulto le tiene temor a la oscuridad sabiendo que no hay porqué temer, pero como tu niña aún está asustada porque nadie se lo ha explicado, sigues con los episodios irracionales del miedo.

Así mismo con otras cosas, puedes observar, acercarte a tu niña, asegurarle que todo está bien y explicarle cómo son las cosas; sea que "ahí no hay nada" o "eres una guerrera y lo que hay ahí puedes vencerlo con solo pensarlo". Tómate tu tiempo en hacer esto porque no sabes qué sentimientos surgirán y necesitarás estar presente en todo el sentido para poner las cosas en orden y en paz. Abraza a tu niña. Dile que has aprendido cosas nuevas y quieres compartirlas con ella para que adquiera más poder y confianza. Cuando sientas que tu niña se ha fortalecido, entonces puedes regresar a tu "vida de adulta", pero esta vez de la mano con ella.

Según ese libro, *Nacidos para Triunfar: análisis transaccional con experimentos Gestalt* de Muriel James y Dorothy Jongeward, al crecer asumimos roles. El adulto tiende a ver al niño como que estaba mal —porque ahora "entiende" cómo son las cosas— y tiende entonces a dejar a su niño atrás abandonado. "¡Ya no soy un niño!" Cada cierto tiempo, quizás a diario en algún momento tu niño reaparece, jugando contigo quizás —esos momentos donde tu niña está a flor de piel, pero la relación es buena y juguetona— y otras veces llega a recordarte lo asustada o herida que está. Lo que suele suceder cuando la situación que enfrentamos es similar a la que ella vivió que le asustaba. Como no podemos reconocer que es nuestro niño, sentimos lo que siente y pensamos que nos pertenece.

La cuestión es crear el diálogo consciente con tu niña. Obviamente pedirle al Supremo que esté presente y te guíe. Que haya entendimiento y paz entre ambas partes. Esto no es otra cosa que estar en paz contigo misma. Una vez eso esté hecho, poner manos a la obra, pero reconociendo que esto es un proceso para ambas (tu adulta y tu niña) y que tomará algo de tiempo, pero si surge la misma cuestión otra vez, las mismas costumbres o miedos, ya sabes quién es que tiene miedo aún, ¿verdad? Vuélvete y háblale nuevamente, recordándole lo que dialogaron y que no debe temer o sentirse así ya porque ahora conoces otra verdad. Sin despreciar lo que siente. Simplemente dejándole saber que está bien, está segura y nada le pasará si intenta algo nuevo.

La experiencia que marcó mi relación con el dinero

No puedo decirte qué provocó tu mala relación con el dinero. Sin embargo, te puedo decir que descubrí en mi propia vida lo que me llevó a crear esta mala relación. Cuando tenía alrededor de ocho años, mi familia tuvo que hacer una venta de garaje para costear los pasajes y regresar a Puerto Rico. Entre mis cosas, había una muñeca que yo amaba mucho. Me la regalaron mis padres y para mí, la pequeña muñeca de porcelana valía miles de dólares. ¡No quería venderla! Pero, de todas las cosas que había para la venta, una señora que se acercó para ver lo que podía interesarle, se fijó solo en mi muñeca.

No recuerdo quién le puso precio de venta a la muñeca, pero recuerdo bien cuando la entregué a aquella señora, quien pagó solo unos centavos por ella. Leíste bien, ¡solo unos centavos! Para que entiendas bien, ¡esa fue mi primera transacción económica! Y marcó para siempre lo que yo pensaba del dinero: *que hay que dar mucho, será doloroso y recibirás a cambio una miseria.*

Con razón, de adulta no podía vender nada. Si vendía algo, por fin, lo vendía por menos de lo que valía. Ni siquiera me atrevía a cobrar o pedir el precio real de venta. Las ventas para mí eran dolorosas, nada placenteras. Nunca podía pensar en el dinero que iba a recibir, solo podía pensar en lo que estaba perdiendo. Estaba totalmente conectada con aquel suceso de la muñeca que ocurrió hace años a un nivel tan profundo que no podía tan siquiera detectarlo.

Nunca olvidé el suceso. No fue una de esas cosas tan traumáticas que quedó en el olvido y necesitaría una terapia sicológica intensiva para recuperarlo del subconsciente. Lo recuerdo como cualquier otro suceso normal en mi infancia. Sabía que no me gustó la sensación de vender mi muñeca y lo poco que recibí a cambio. Pero lo que no podía recordar era el impacto emocional que provocó y que dejó en mí una mala percepción sobre el dinero. Jamás lo había asociado con mi problema para generar dinero en el presente.

Ahora comprendo que Dinero siempre ha estado ahí. Como un viejo amor, esperando que yo, finalmente, lo deje ser parte de mi vida.
El dinero no estaba huyendo de mí, era yo quien pensaba que era difícil conseguirlo o que debía dar mucho más de mí, por mucho menos de él. Este suceso no solo me brindó una mala percepción del dinero, también me indicaba, a nivel subconsciente, cuál era mi propio valor. Para arreglar esto, primero tuve que ser consciente de lo que había ocurrido, cómo y cuánto me había afectado.

Un solo acontecimiento puede afectar más áreas de las que puedas imaginar. Solo obsérvate a ti misma para que veas. Tus acciones y los resultados de las mismas provienen de tus pensamientos subconscientes. Ese suceso, a la vez, trae otros y así sucesivamente hasta crear un ciclo y unos patrones de conducta que te llevan a los mismos resultados una y otra vez.

Cuando reconocí que mi mala relación con Dinero se debía a algo que sucedió hace tanto tiempo, entonces pude reconciliar mi relación con él. Ahora puedo ver el dinero con otro sentimiento en mi corazón. Dinero no es malo. No está ahí para hacerme daño ni "se hace el difícil". Fui yo quien acepté menos.

En ocasiones, creamos malas relaciones por error o por una percepción equivocada de algo o alguien. Una experiencia amarga te hará asociar una cosa con otra y juzgar. Yo asocié "valor" con "dolor" y con "poco dinero".

Cuando nos damos la oportunidad de ver las cosas desde otro ángulo, desde otro punto de vista, nos abrimos a nosotras mismas una puerta hacia la sanidad y la reconciliación. Podríamos descubrir que una persona que nos caía mal, en realidad es una persona maravillosa. De hecho, frecuentemente esa persona se parece más a nosotras de lo que queremos ver. Es muy probable que el sentimiento venga porque esa persona te recuerda ciertas cosas de ti que no te agradan o no quieres reconocer. Así ves, no es que la persona sea mala (ni Dinero tampoco), solo te recuerda una mala relación contigo misma.

Primero, desasocié el acontecimiento de mi percepción de valor propio

Para sanar cualquier relación, primero debemos sanar la relación con nosotras mismas. Lo que más se afectó con aquel suceso de la muñeca fue mi percepción de mí. Como niña, asociaba la muñeca como parte de mí misma. Por lo que recibir tan poco por ella, era como si me dijeran "esto es lo que tú vales". Eso me convirtió en una persona muy tímida, retraída y mala para las ventas. Ser "mala para las ventas" no se debe a la carencia de conocimientos, estrategias o técnicas, trata más sobre tu autoestima, seguridad y valor propio.

Debemos aprender a ver una cosa aparte de la otra y reconocer que la experiencia no tiene nada que ver con nuestro valor propio y que no es real que el dinero sea difícil de conseguir o escaso. ¡Hay en abundancia!

No puedes generar abundancia con una mentalidad de escasez

Una persona con mentalidad de escasez tiende a quejarse, lamentarse, sentir lástima por sí misma y resentimiento hacia los demás, se retracta de intentar cosas nuevas, siempre está desesperada por suplir sus necesidades más básicas; esto no le permite actuar con sabiduría y mucho menos fluir. Además siente coraje y busca a quién culpar por su desdicha.

Aunque su visión puede ser grande, a la hora de actuar tiene miedo y solo toma pasos "seguros" que no le llevan fuera de su zona cómoda, generando así los mismos resultados de siempre. Tienden a estar a la defensiva con la percepción de que otros quieren tomar ventaja sobre ellos y que siempre pierden mientras el otro gana.

Una persona de mentalidad de escasez no invierte para generar más, no disfruta de lo que tiene porque piensa que es "poco" y que pronto se puede acabar. Le molesta la gente que vive en abundancia y trata de evitarla a toda costa. Una persona con mentalidad de escasez siempre encuentra un "pero", un "no se puede" o un problema ante cada oportunidad. Tiende a creer que es astuto y cuando le presentan algo nuevo, está buscando siempre "el gato encerráo" pensando "a mí nadie me va a agarrar"; cuando en realidad quizás era solo una nueva y gran oportunidad.

Una persona con mentalidad de escasez justifica sus actos basándose en los problemas de la sociedad. Carece de estrategias para salir del "hoyo" pues la mentalidad de escasez afecta todo, haciéndole creer que aun en destrezas tiene poco.

Lo más triste es que una persona con mentalidad de escasez, no ve la abundancia cuando toca a su puerta, ni reconoce toda la abundancia que tiene ya.

Bloqueos mentales sobre el dinero

Tu estado mental sobre el dinero puede ser un obstáculo para crearlo o disfrutarlo. Si tus pensamientos y sentimientos en relación con el dinero no son congruentes con tus deseos y afirmaciones, tus esfuerzos por atraerlo a tu vida serán en vano. Aun si logras atraerlo (crearlo) lo perderás fácilmente. Debes, antes que nada, reconocer estos pensamientos para luego equilibrar esa energía en ti. Ten en cuenta que estos pensamientos residen en el subconsciente, por ende, no son tan obvios. Para reconocerlos, practica el ejercicio de la observación, ya sea meditando o en silencio, anota lo que venga a tu mente y lo que sientes. Hazlo sin juzgar ni tratar de cambiar el pensamiento en ese momento. Solo observa y escucha lo que hay en tu interior para trabajar en eso luego.

Estos son algunos "bloqueos" mentales que las personas tienen en relación con el dinero:

- Falta de valor propio (no merezco "tener")

- Temor a la corrupción (pensar que tener dinero cambia a las personas)

- Temor al rechazo (mis seres queridos me resentirán)

- Temor a la responsabilidad (si tengo dinero, tengo responsabilidades de pago)

- Pobre percepción de sí misma (no puedes imaginarte como una persona adinerada)

- Culpar al "dinero" por separación o tragedias (ej. si tuviste un padre que nunca estuvo presente porque trabajaba todo el tiempo para generar dinero)

- Sentimiento de culpabilidad o vergüenza por tener más que otros

- Temor a perderlo

Para equilibrar esa energía es necesario comparar (confrontar) esos pensamientos con tus deseos. Si son incongruentes, observa y decide qué es lo que quieres en realidad. Verás que muchos de esos pensamientos vienen de experiencias que, reales o no, ya no tienen validez. Sirvieron su propósito en su momento, pero ya no te sirven.

Elige entonces nuevos pensamientos, nuevas creencias sobre el dinero y nuevas acciones que apoyen esas nuevas creencias hasta convertirlos en patrones de conducta habituales. Esto es un proceso, no esperes resultados inmediatos porque solo te causará confusión y frustración.

Todo es energía

La energía no se pierde, ni deja de ser ni muere. La energía se transforma. Ya sabes que tuve que pagar un "precio" a los ocho años. Vendí algo que, para ese entonces, era de mucho valor para mí: una muñeca que me regalaron mis padres. Yo la recuerdo como una muñeca preciosa, rubia y de traje azul.

¿Pues sabes qué? Siempre pensé que la había perdido para siempre. Pude apreciar la lección sobre el valor del dinero y saber soltar. Pero recientemente aprendí otra gran lección. Aprendí que la energía no se pierde, sino que se transforma y regresa a ti. Todo es energía. El dinero, los pensamientos, incluso la muñeca que entregué al universo hace tantos años.

Si prestas atención, verás cómo cada cosa que se ha ido o piensas que has perdido, ha regresado de otra manera. Y, por lo general, cuando es algo de valor que entregaste con el corazón, regresa mejor de lo que era. Mi muñeca del traje azul, con su cabello rubio que yo no quería vender, *regresó a mí*. Tuve una hija rubia y cuyo color favorito es el azul. Regresó mi muñeca. ¡Y aún mejor!

El dinero no decide tu realidad, no le cedas tu poder

Decir que necesitas dinero para conseguir lo que deseas es como decir que necesitas de alguien para ser feliz. El dinero no decide tu realidad, no le cedas tu poder. Así como tu felicidad debes buscarla dentro de ti, tu "dinero" también lo encuentras adentro.

Tú, no tu dinero, decides cómo será tu realidad. Tú decides a dónde vas, cómo te vestirás, qué tienes y cómo llegas. Y lo haces con tu poder interno para pensar, decidir y actuar. El dinero es solo un medio (herramienta) para materializar eso que en tu mente y corazón ya has decidido (creado). Por eso, cuando decimos: "quiero dinero porque quiero tener tal cosa" estamos cediendo —entregando nuestro poder y autoridad para decidir nuestra realidad— al dinero.

Cuando enfocas tu intención en *el fin* (esto es, enfocar tu energía hacia un punto concreto), el Universo provee el medio para conseguirlo. Y *el fin* no es el dinero. Lo que deseas en realidad es lo que el dinero puede comprar o pagar y es en eso que debes poner tu intención. Pero sobre todo, debes estar clara y decidida de qué es lo que quieres.

Cuando crees que sin "eso" no podrías tener "aquello" literalmente estás diciendo que "eso" es quien decide y tiene más poder que tú y tú, por lo tanto, estás bajo el control de "eso", sea una cosa, una persona, un puesto, una situación o lo que sea.

En ti está Dios, la fuerza creadora y de ti emana. Cuando tienes la falsa ilusión de que algo o alguien fuera de ti puede "cambiar" tu realidad, sin saberlo estás entregando tu responsabilidad para decidir, crear y materializar. Todo lo que queremos fuera de nosotras (amor, felicidad, poder, abundancia) debemos encontrarlo primero dentro de nosotras. Esto es *empoderamiento*, es conectar con esa energía en nosotras.

¿Cuál es la energía del dinero?

La energía del dinero, y de cualquier otra cosa, está representada por lo que te haga sentir: poder, libertad, bienestar, seguridad, abundancia... Cuando conectas con esa energía dentro de ti ya no dependes de algo externo que te brinde seguridad, bienestar o abundancia. Entonces, eso se hace uno contigo, va contigo a todas partes y emana de ti. No necesitas cosas o personas que te lo den o te hagan sentirlo y atraerás sin esfuerzo cosas o personas de las que emana una energía similar.

Es ahí que entra en acción la Ley de la Atracción porque no podemos atraer lo que carecemos. Y, en realidad, no carecemos de nada, simplemente desconocemos los tesoros que llevamos dentro. Pero cuando nos damos cuenta, cuando somos conscientes del poder que llevamos dentro, de que la abundancia y las riquezas las decidimos desde adentro, entonces todo eso externo pierde su poder para controlar nuestra realidad. O mejor dicho, retomamos el poder que le cedimos.

La energía que emana desde el centro se materializa fuera de nosotras en cosas, personas y situaciones de vida. Tiene más fuerza y poder de lo que pensamos. Basta ver los resultados que estamos obteniendo para conocer la esencia de la energía que emana desde adentro. Por lo que, si queremos otros resultados, antes de hacer las cosas de manera diferente, primero debemos conectarnos con una energía diferente. Esa es la raíz de todo.

Cómo empoderarte desde el centro en relación con el dinero

- Conecta con su energía. Visualiza que ya tienes lo que quieres y enfoca tu atención en cómo te sientes (si puedes recordar algún momento en que lo hayas tenido, mejor aún).

- Decide lo que quieres en realidad. No cómo lo quieres, sino por qué lo quieres (eso es lo que quieres realmente).

- Reconoce que *tú* creas esa realidad y depende de ti. El poder lo tienes dentro.

- Suelta la ilusión de que alguien o alguna cosa fuera de ti puede dártelo.

Cuando insistes en enfocarte en el *medio* (la herramienta) puedes estar perdiendo una gran oportunidad de que el universo te muestre una mejor forma de obtener eso que deseas. Además, enfocarte en el *medio*, en este caso el *dinero*, te lleva a preocuparte por cómo lo vas a generar. Lo que, a su vez, te lleva a trabajar *por el dinero* y desvía tu atención *del fin* (lo que quieres en realidad).

¿Cómo sabes cuándo ya has conectado con la energía de la abundancia del dinero? Aquí algunos ejemplos:

- Cuando ya no sientas la "necesidad" de generarlo para tener lo que quieres y te diriges directamente a crearlo en tu mente.

- Cuando comiences a hacer las cosas que amas porque amas hacerlas y no para ganarles algo.

- Cuando veas algo que quieres y te alegres porque lo puedes tener, en vez de frustrarte.

Yo soy suficiente. Todo emana de mí.

El dinero es solo uno de tantos medios posibles para obtener las cosas que queremos. Pero bien podrías obtenerlo por intercambio, regalo, recompensa, herencia o simplemente darte cuenta de que lo que pensabas que querías no lo necesitas en realidad porque lo que quieres es ser feliz y ya encontraste la felicidad dentro de ti. Por lo tanto, enfócate en lo que verdaderamente quieres y deja que el universo se encargue de cómo te lo entregará.

Ejercicio 8

Detecta cómo es tu relación con el dinero

Observa tus resultados en relación con el dinero y contesta:

1. ¿Recibes a cambio lo que das o recibes menos?

2. Cuando piensas en dinero, ¿cómo te sientes? Detecta tus emociones y anótalas aquí.

3. ¿Piensas que es difícil conseguirlo o retenerlo?

4. ¿Te incomoda pensar en el dinero?
5. ¿Cuáles son tus patrones de manejo de dinero?

6. ¿Tienes pensamientos ocultos sobre el dinero?

7. ¿Qué recuerdos tienes sobre lo que tus padres pensaban del dinero?

8. ¿Cuál es la primera transacción económica que recuerdas? ¿Cómo fue esa experiencia?

9. Si crees que tuviste buena relación con el dinero hasta cierto punto y en adelante no ha sido buena, ¿recuerdas lo que pasó en ese momento?

¿Puedes recordar qué estaba sucediendo en tu vida justo antes de ese momento de cambio?

Cada emoción negativa que surja en el proceso, enfréntala con una declaración positiva.

Por ejemplo:
a) no tengo = soy abundante
b) frustración = estoy satisfecha
c) incapaz = tengo el poder de crear abundancia
Cuando tomes acción hazlo con la energía correcta: certidumbre, gratitud, amor, paz, confianza.

Agradece no solo lo que pretendes atraer, sino especialmente lo que tienes ahora, lo que estás viviendo, padeciendo y aprendiendo. Agradecer el presente para atraer el futuro que queremos.

Preguntas clave:
1) ¿Tienes claras tu meta e intención?
2) ¿Estás tomando acción, aunque sea en pasos pequeños?
3) ¿Qué energía estás poniendo cuando tomas acción?
4) ¿Puedes visualizarte como que ya lo lograste?
5) Si te surge la duda, ansiedad o preocupación (emociones contrarias a lo que quieres), ¿cómo las vas a cambiar? ¿Por cuáles emociones las debes sustituir?
6) ¿Cuál es la manera más sencilla de comenzar a mover la energía ahora mismo?

Preguntas más profundas para respuestas más profundas:
1) ¿Qué has estado materializando o atrayendo hasta ahora?
2) ¿Esto valida (confirma) las emociones que sientes respecto al dinero?
3) ¿Cómo te hace sentir visualizar lo que quieres?
4) ¿Puedes atrapar esas emociones positivas que surgen cuando visualizas lo que quieres?
5) ¿Cómo puedes utilizar esas emociones positivas para crear lo que quieres?

Capítulo 5

Cómo reconciliar tu relación con tu cuerpo: las emociones engordan

¡Las emociones engordan!

Como ya aprendiste, las emociones acumuladas se convierten en energía acumulada y la energía acumulada provoca estancamiento, enfermedad, estrés y todo tipo de síntomas y caos. Aunque la energía acumulada se manifiesta de forma diferente en cada persona, si sufres de sobrepeso es muy probable que estés acumulando emociones no liberadas.

Este tema es uno que me toca muy de cerca, y de hecho, te soy honesta, no lo he trabajado del todo aún. Al momento de escribirte estas líneas estoy pasando por mi propia experiencia con esto. En los pasados años, he aumentado gradualmente hasta pesar más de lo que llegué a pesar durante mis embarazos. Quizás 40 libras no sea mucho para algunas personas, pero jamás había pasado de tener unas 10 o 15 libras sobre mi peso saludable, así que para mí es mucho.

Sé lo que se siente que la ropa no te sirva o no te quede como te gusta. Sé también lo horrible que es salir a comprar ropa y lo incómodo que es entrar al medidor. Aun el deseo de salir e ir a la playa ya no es el mismo, porque sabemos que tenemos que enfrentar la misma incomodidad al vestirnos y tener que usar las únicas piezas de ropa que aún nos sirven. Nos afecta aun en el sexo con nuestra pareja porque no nos sentimos igual de bellas que antes y como en nosotras hay una conexión directa entre las emociones y nuestros órganos sexuales, nuestra libido también se afecta. Quizás este no sea tu caso, pero si te identificas, presta atención.

En mi caso, ya sé que no es genético y conozco todo lo que necesito saber para volver a mi peso saludable y, sin embargo, no he hecho lo necesario para cambiar mi realidad aun cuando no me gusta verme ni sentirme así. Y aquí volvemos a la pregunta, ¿por qué no hago lo que sé que debo hacer y continúo haciendo lo que no debo? La respuesta es la misma que ya discutimos en los pasados capítulos: la mente consciente y el subconsciente no están alineados, no hay congruencia entre lo que se quiere lograr y lo que tenemos programado en el subconsciente.

Todo lo aprendido anteriormente en relación con la Ley de la Manifestación se puede aplicar también aquí. Las leyes que discutimos son básicas, como en el baile, una vez aprendes los pasos básicos todo lo demás es construido sobre eso hasta que lo domines lo suficiente para crear tus propios pasos.
En este punto, quizás te estés preguntando, cómo es que yo, siendo maestra de manifestación y habiendo logrado tantos cambios positivos en otras áreas, no haya podido aún hacer cambios en mi cuerpo con todo este conocimiento, ¿es así? Y te entiendo perfectamente, yo me hice la misma pregunta. Pues te comparto un secreto, lo que estás aprendiendo aquí es valiosísimo y será de las

lecciones más poderosas que aprendas en tu vida, pero los cambios los tendrás que hacer en cada área a su propio tiempo.

Te explico: ¿recuerdas el Círculo de Perspectiva Personal que hiciste en el Capítulo 1, donde medías tu grado de satisfacción en cada área? Pues la vida te dará la oportunidad de corregir y crecer en cada una a su tiempo. Yo trabajé mi área profesional, luego trabajé mis relaciones personales y mis finanzas. En cada una he ido descubriendo "bloqueos" y también fortalezas que tengo para hacer cambios. Pero mientras me enfocaba en esas áreas desatendí mi cuerpo. Y las emociones que no manejé correctamente se fueron acumulando en mí, literalmente el cuerpo me dio la señal al comenzar a engordar, pero no le presté atención porque estaba muy enfocada en mis metas profesionales y personales.

Esto es una gran lección para mí y si has podido identificarte espero lo sea también para ti. Por eso es importante hacer balance, atender y depositar amor en cada área porque un área que sea desatendida sufrirá y veremos los efectos luego. La buena noticia es que ya conocemos lo básico para lograr cambios y si podemos hacerlo en otras áreas, con toda posibilidad, lo podemos lograr en esta área también.

Al momento de escribir este capítulo llevaba ya unos días sintiéndome más incómoda de lo usual en cuanto a mi sobrepeso. Y eso es bueno, de hecho es grandioso porque generalmente no nos moveremos a hacer cambios hasta que nos incomode lo suficiente. Como ya sé que si no he podido hacer cambios externos significa que hay alguna raíz interna que debo manejar, me hice las preguntas correctas, ¿cuáles son las emociones que estoy acumulando? ¿Cómo me siento? ¿Qué es lo que no he manejado aún y que el cuerpo me lo está reflejando? Créeme, he hecho estas preguntas anteriormente. Pero por alguna razón esta última vez que las hice recibí una respuesta que no había considerado antes. Quizás es que ha llegado el tiempo de atender este asunto. La verdad no sé por qué recibí la respuesta ahora y no antes, pero sé que todo tiene su momento y el momento es siempre perfecto.

Recordé mientras hacía las preguntas en mi mente, un incidente que tuve hace unos meses con una persona a quien amo mucho. Discutimos por un tema que se ha repetido muchas veces entre nosotros y la sensación que deja en mí es siempre la misma: impotencia, coraje, sentir que no soy suficiente, inferioridad y otras emociones similares. Pero esta vez, no solo las sentí en mi corazón, ¡las sentí en mi cuerpo! Precisamente en las áreas donde he acumulado el sobrepeso, en el área del vientre y cintura. No recuerdo haber sentido una sensación tan clara antes, en mi cuerpo, como si me dijera: "aquí están todas esas emociones almacenadas".

Todas esas emociones las estoy "tragando" literalmente, porque en cada situación callo, no expongo mi punto de vista, pero lo peor es que no busco la forma de liberarlas, lo dejo pasar y lo dejo en el olvido como si no hubiese sucedido. Y esto no es saludable. Ignorar lo que sientes no hará que las emociones se vayan, simplemente se quedarán dentro de ti sin tú darte cuenta, hasta que alguna de tus áreas —sea el cuerpo u otra— te lo manifieste.

Cuando voy atrás (recuerda que hay que visitar el pasado para sanar) y veo el patrón, reconozco que llevo aumentando de peso desde que las discusiones por este tema comenzaron. También recuerdo que hubo un tiempo en que cesaron las discusiones por ese tema, tiempo en el cuál yo llegué a bajar un poco de peso, pero también reconocí que desde la discusión más reciente he aumentado mucho más.

¿Recuerdas lo que leíste acerca del subconsciente? No importa cuántas declaraciones positivas hagas y cuántas veces te visualices de la forma que quieres, si las emociones que tienes atrapadas son negativas y diferentes a lo que estás visualizando, eventualmente sabotearás tus esfuerzos por lograr un cambio porque tus acciones provienen mayormente desde tu mente subconsciente.

Por eso, comienzas la sana alimentación, comienzas también a ejercitarte y a hacer cambios en tu estilo de vida, pero duran poco tiempo y regresas al punto de inicio o peor. Tu mente consciente quiere una cosa, pero tu subconsciente está ordenando otra.

Para, al fin, lograr un cambio en esta área, debes comenzar por revisar tus emociones y liberarlas, sanando lo que han provocado en ti. Todo cambio externo comienza haciendo un cambio interno. Si corriges tus emociones y tus pensamientos lograrás que tus acciones sean las apropiadas para llevarte al éxito.

Hice esta oración para liberar mis emociones y la comparto contigo para que te sirva de guía si no sabes cómo empezar, pero déjate llevar por lo que sientas en tu corazón. Declaré esto con mis manos sobre mi abdomen, que es donde he acumulado el sobrepeso mayormente y visualizando cómo atrapo toda esa energía hasta que sale de mi cuerpo y es liberada. Visualicé también mi cuerpo sanando y a la otra persona recibiendo también amor y sanidad.

*Reconozco las emociones que me provoca esta situación
(menciono aquí la situación particular) y decido soltarlas.
Libero las emociones atrapadas en mí y pido que Dios sane mi cuerpo.
Declaro que regreso al balance.
Dejo ir lo que ya no me sirve, perdono y me perdono.
Declaro libertad y sanidad también para la otra persona y doy gracias*

por la oportunidad de crecer y evolucionar.

¿Qué hago, entonces, para liberar estas emociones que me están engordando, manifestar sanidad y recuperar mi peso saludable?

Repasa los pasos discutidos en este libro:
- Reflexiona. Haz las preguntas correctas hasta encontrar respuestas y saber cuáles son las emociones atrapadas y de dónde surgen.
- Sana. Una vez sabes de dónde surgen puedes perdonar y perdonarte, reconocer que no te pertenecen y ya no te sirven y las puedes soltar.
- Reconoce. Que tienes el poder de cambiar tu realidad y que en esto también vencerás porque tienes las herramientas para hacerlo.
- Agradece. Tu pasado, tu presente, tu proceso, todos los acontecimientos que te han traído hasta el presente y la oportunidad de recibir tan grande lección porque te hará más fuerte.
- Reenfoca. Haz un plan de reprogramación y de acción que te apoye en tu meta para recuperar tu salud y tu cuerpo. Estos son los pasos:
  1. Deja de quejarte de tu cuerpo.
  2. Deja de repetir que estás gorda o que no luces bien y comienza a declarar que sí tienes el cuerpo que deseas.
  3. Agradece tu cuerpo, cuidando de él como si fuera el cuerpo ideal y saludable que deseas.
  4. Visualiza con detalles cómo quieres verte, sentirte, lo que quieres escuchar, cómo te vestirías y qué cosas harías como si ya fuese así.
  5. Cree que si es posible para otros es posible para ti, recuerda siempre el poder de tu mente y tus emociones para lograr que cualquier cosa se manifieste.
  6. ¡Suéltalo! La ansiedad y la preocupación que crees también se acumulan, serán un estorbo para materializar lo que deseas, así que no te afanes por si lo lograrás o no, confía en el proceso, reconoce que, en cuanto liberaste tus emociones y pusiste tu intención en eso, ya comenzó a manifestarse.

Disfruta tu cuerpo como es ahora, *encuentra todos los elementos positivos* y agradece cada uno de ellos, mientras te enfocas en lo positivo y agradeces, solo puedes sentir emociones positivas, justo las que necesitas para lograr cambios positivos.

La acción es importante, pero no te dará resultado si no das estos pasos primero. Ahora sí, una vez liberes, declares y visualices, crea un plan de acción proponiéndote metas reales y alcanzables, hasta crear hábitos que te sirvan de apoyo en tu meta.

No eres víctima, eres un ser poderoso creado para manifestar la gloria del Creador. No culpes a quienes te hayan hecho sentir mal, ellos también viven su proceso y, probablemente, no son conscientes del daño que hacen. Ahora tú, que ya conoces los misterios y que has encontrado respuestas, te toca a ti dar el paso, perdonar, sanar, corregir, transformar tu energía para que, con ella, influyas en los que te rodean hasta que ellos también encuentren la verdad y sean libres. Sé paciente y amorosa con ellos porque todo lo que das regresa.

Todo comportamiento tiene como fin satisfacer alguna necesidad. Cuando identificamos la necesidad y encontramos un medio sano para satisfacerla, ya no hace falta el comportamiento anterior y podemos lograr cambios profundos.

Ejercicio 9

Preguntas para identificar emociones estancadas

¿Cuáles son las emociones que estoy acumulando?

¿De dónde surgen?

¿Cómo me siento?

¿Qué es lo que no he manejado aún y que el cuerpo me lo está reflejando?

Traza un plan de acción
- Reflexiona. Revisa las preguntas anteriores.
- Sana. Perdona, reconoce que esas emociones no te pertenecen y las puedes soltar.
- Reconoce. Que tienes el poder de cambiar tu realidad.
- Agradece. Tu pasado, tu presente, tu proceso, todos los acontecimientos que te han traído hasta el presente y la oportunidad de recibir una lección tan grande porque te hará más fuerte.
- Reenfoca. Halaga tu cuerpo, declara que tienes el cuerpo que deseas, cuídalo, visualiza cómo quieres verte, cree que es posible, suelta la ansiedad y la preocupación, confía en el proceso, reconoce que, en cuanto liberaste tus emociones y pusiste tu intención en eso, ya comenzó a manifestarse.

Capítulo 6

Recupera tu poder: 13 elementos en tu Círculo de Poder Personal

En octubre de 2009 despertó en mí el deseo de ir a Dubai. No sabía cómo, ni siquiera le di mucha importancia al "cómo" ni me propuse esto como meta, simplemente soñé despierta con la idea de ir, busqué fotos, conecté con toda la emoción como si lo estuviese viviendo, y finalmente lo dejé ir, o sea, no me preocupé por si sucedería o no, me quedé en la fantasía de que podía ser cierto algún día.

Un par de meses más tarde nos dieron la buena noticia de que nuestra empresa de sellado de techos había ganado el viaje anual de parte de la empresa que nos suple los materiales y resulta que el viaje de ese año estaba ya planificado para nada más y nada menos que Dubai.

En marzo de 2010 no solo fuimos al viaje de mis sueños sino que fuimos en crucero, por 10 días por toda la costa de cinco de los Emiratos Árabes y nos quedamos la última noche en uno de los mejores hoteles frente al Dubai Mall, el centro comercial más grande del mundo. Aun al regresar todavía no podía creer que nuestro primer viaje (mi esposo y yo nunca habíamos viajado antes) aconteciera de tal forma, casi mágica.

Luego de ese viaje y de otras cosas que he podido manifestar de esa forma, he investigado y estudiado arduamente para tratar de entender por qué algunas cosas las obtenemos casi sin esfuerzo alguno, ni siquiera te das cuenta de donde vino tal bendición, sin embargo, otras cosas cuestan y tardan tanto. ¿Será que "estaba" para mí? ¿Será que los elementos necesarios simplemente estaban alineados? ¿Será que hice algo de forma diferente?

¿Cuál es tu poder interno?

Nuestra energía interna consiste, sobre todo, en el conjunto de pensamientos y emociones que guardamos en nuestro interior, conscientes y subconscientes, y con esa energía diseñamos o influimos nuestra realidad.

Esta energía forma un campo magnético invisible (al menos para la mayoría porque hay quienes pueden verlo y existen equipos para ver y medir este campo), pero muy poderoso. Va con nosotros a todo lugar e inevitablemente transfiere y comunica lo que es nuestra energía. En otras palabras, lo que piensas y sientes se proyecta fuera de ti a través de este campo.

¿Cómo es la energía que proyectas?

¿Qué estás atrayendo o alejando de ti con esa energía?

Ya que conoces el poder de tu energía, visualízala.

¿Cómo es tu energía?

¿Qué color le darías?

¿Cuánto alcance tendría?

¿Qué efecto tendría en tu entorno, en ti y en otros?

Así, se conecta con la energía de las cosas y personas a tu alrededor, influyendo en otros y devolviéndote exactamente lo que transmites. Por tanto, somos responsables de lo que ocurre en nuestro entorno, y también tenemos el poder y la responsabilidad de cambiarlo.

¿Qué quieres cambiar a tu alrededor?

¿De qué forma lo harías, si solo lo puedes cambiar en ti?

Esto aplica incluso en la influencia que tenemos sobre otras personas. Por eso, pensar mal de quien te hace daño o no te cae bien, no mejora la situación, porque ese pensamiento negativo hacia él o ella, unido a la emoción que te hace sentir, solo puede perpetuar lo negativo en esa persona y también en ti, que eres quien recibe directamente el impacto emocional. Si queremos que alguien "sane", cambie o mejore, lo mejor que podemos hacer es pensar, sentir y visualizarnos de manera positiva, como si ya fuesen de esa manera.

¿De qué manera estás contribuyendo a la situación o el problema del otro?

¿Qué tipo de energía le estás enviando?

Si tu energía le afecta, ¿qué energía puedes enviarle para ayudarle a cambiar o mejorar en lugar de agravar la situación?

Recupera tu poder en tus relaciones

Algunas de nosotras somos dominantes y estamos tomando más poder del que nos corresponde y dejando a otros a medias, no les dejamos expresarse o hacer lo que tienen que hacer. Otras callamos demasiado, cedemos nuestro poder a otros todo el tiempo sin saberlo. Esto no lo hacemos con todo el mundo, siempre habrá alguien con quien nos sentimos más empoderadas que con otras personas.

Nadie puede robarte poder, tú lo cedes con tus acciones o inacciones. Ceder poder a otros provoca que se empoderen sobre nosotros y nos deja un sentido de culpabilidad, vergüenza y frustración porque no nos comunicamos efectivamente y nos quedamos con la sensación de que "debimos haber dicho más". Estas emociones no liberadas se quedan atrapadas en áreas de nuestro cuerpo y desencadenan una serie de problemas físicos, emocionales y espirituales.

La persona a quien le cedemos nuestro poder, por lo general, no es consciente de ese intercambio; sin embargo, lo usa a veces en contra nuestra. Eso ocurre porque el universo tiene la capacidad de balancearse por sí solo, no deja espacios vacíos. O sea, si no utilizas tu poder, otro lo utilizará por ti.

¿Sobre quién o quiénes tiendes a empoderarte demasiado?

¿Qué puedes hacer diferente para no robar poder?

¿A quién o a quiénes les cedes tu poder y terminan empoderándose sobre ti?

¿Qué puedes hacer diferente para recuperar tu poder?

¿Frente a quién te sientes sin poder y vulnerable?

¿A qué crees que se debe?

¿Cómo lo cambiarías?

¿Frente a quién te sientes empoderada y segura?

¿A qué crees que se debe?

¿Podrías aplicar esto mismo con quienes no te sientes empoderada?

¿Cómo lo harías?

Las emociones y energías más fuertes son las de la *gratitud* y el *amor*. Estas energías contrarrestan cualquier otra energía negativa. ¡Utilízalas! Cuando quieras influir positivamente en alguien visualízalo en positivo. Si se te hace difícil a causa del coraje o dolor que te ha provocado, visualízalo como el ser espiritual que hay dentro de esa persona, en lugar de enfocarte en todas sus cualidades humanas negativas. Recuerda que tanto esa persona como tú están en este plano para aprender y crecer. Y de esa forma se "sirven" uno al otro. Agradece la enseñanza que trae. Quizás te ayuda a fortalecer tu carácter, ser más compasiva, ser mejor persona, alejarte de ese tipo de comportamiento, elegir mejor a tus amistades, a no ser egoísta, a organizarte mejor, a conocer más de ti y de tus dones, a reconocer que guardas coraje o resentimiento... en fin, ¿qué te muestra esa persona de ti?

¿Qué enseñanza trae?

Podemos transformar nuestra energía en un instante

Para esto, es necesario monitorizar tus emociones continuamente. En el momento en que te das cuenta que sientes algo que no es positivo y productivo, detente y haz el cambio consciente de esa energía, pensando en cosas positivas, poniendo en práctica las cosas que sabes que influyen positivamente en tus emociones, como la música, las imágenes, los libros y los audios, respirar profundo, caminar en la naturaleza o cualquier otra cosa que sepas que te hace bien.

¿Qué harías tú para transformar tu energía al momento?

Revisa también qué fue lo que activó las emociones negativas en primer lugar y reflexiona sobre eso. Si es algo que tú puedes controlar directamente, haz los cambios necesarios. Si viene de una fuente externa, revisa de qué forma estás atrayendo eso y para qué. Reflexiona si de alguna manera puedes influir para que eso cambie aunque sea cambiando tu energía interna.

¿Qué cosas del diario influyen en tus emociones negativamente?

¿Qué cosas son las que te dan coraje o tristeza?

¿De qué manera puedes cambiar esos elementos en tu vida?

¿Qué puedes hacer para mantenerte positiva?

Cuando sientas una emoción que no tiene sentido para ti, puede que estés arrastrando una energía ajena, que no te pertenece, pero por alguna razón conectaste con ella. Revisa tu interior y déjala ir.

Todo nos enseña. ¡Sácale el jugo a cada experiencia!

Piensa en una a tres personas en tu vida que no te agradan, que te traen problemas o te producen estrés o que provocan en ti emociones negativas:

¿Quiénes son?

¿Qué te hacen sentir?

¿Cómo te afectan?

¿Qué es lo que te molesta de ellas?

¿Crees que en algún área de tu vida haces lo mismo?

¿Crees que en algún área de tu vida te ayudaría ser más como esa persona? ¿Crees que quizás te enseña precisamente a no ser como ella o alejarte de ese tipo de comportamiento?

Como todas las personas a nuestro alrededor están ahí para aportar, enseñarnos o retarnos a desarrollar nuestro interior, ¿en qué manera ha aportado esta persona a tu crecimiento o fortalecimiento?

Si no has sacado nada positivo aún, menciona tres cosas que puedes aprender de esta relación:

1.

2.

3.

Menciona tres cosas que esta relación te ayuda a mejorar de ti misma:

1.

2.

3.

Estudio de caso: Marie (nombre ficticio para proteger su identidad)

Marie es una mujer profesional y madre. En los pasados años, ha logrado vencer muchos obstáculos y se ha convertido en una de las mejores *Coach* de Vida que conozco. Sin embargo, recientemente se ha sentido frustrada y aunque puede ayudar a muchas personas, siente que no puede ayudarse a sí misma. A continuación está una carta en la que ella me expresa cómo se siente.

Querida Idáliz:

Tengo sentimientos de <u>frustración</u>. Me siento que a pesar de haber hecho mucho <u>no he hecho nada</u>, me siento <u>incompleta</u>, pienso que los <u>fracasos emocionales</u> me han llevado a pensar <u>que el problema soy</u> yo y nadie más. Cuando miro mis relaciones familiares y otras, ahí es cuando me valido a mí misma: "Marie, el problema eres tú, no es nadie más". Cuando miro mi trayectoria de empleo, valido lo mismo. Cuando veo mi parte como madre, me satisface una parte que hago con mi hija, pero <u>siento que debo dar más</u>. A veces, así me siento.

Yo crecí, con el <u>regaño</u> en todo tiempo, <u>todo lo que hacía era malo</u>, siempre me decían que <u>era incapaz</u>, inclusive era la burla de muchos en el colegio. Cuando quería bailar mi madre decía que tenía dos pies izquierdos y por eso <u>estaba siempre en el piso</u>. Yo recuerdo tantas ocasiones que mi madre hablaba con mis tías sobre lo malcriada que soy, inclusive hasta cuando empecé en la pubertad, que mi sudor era tan fuerte que ella no me soportaba. No quiero ni contarte de todas las veces que me dio en público, me rompió una sombrilla, un palo de escoba y hasta me tiro con un cuchillo.

¿Porque me siento frustrada? Porque <u>todo lo que he querido implementar o hacer en mi vida termina en fracasos</u>. Ni hablar de mis empleos, mis estudios. El más reciente fue la universidad en Estados Unidos. Cuando veo mi propósito y siento que <u>no lo estoy cumpliendo</u> también me frustro porque siento que <u>tengo mucho que hacer</u>, pero <u>me siento atada de brazos</u>.

Idáliz, yo <u>no he tenido una relación estable</u> con ningún hombre, ni siquiera una convivencia, pues ni con el papá de la nena. Con todos siempre ha sido lo mismo, <u>les sirvo para una cosa</u> y nada más. Por eso mismo también he elegido no poner ojo por el momento en ningún varón. Aclaro, no tengo problema de identidad. Pero sabes, cuando el primer hombre de tu vida, que es tu papá, <u>te desprecia porque no te puede aceptar como eres</u>, eso repercute en mucho. Pues así me siento y así lo escondo detrás de mi sonrisa.

Gracias,
Marie

Esta fue mi respuesta a su situación.

Querida Marie:

Te marqué todas las cosas a las que debes prestar atención, ese es tu subconsciente mostrándote lo que aún guarda. ¿Y para que te lo muestra? Para que lo trabajes, lo transformes, canceles y reprogrames.

El problema es… que <u>no hay un problema</u>… lo que hay es un TESORO oculto, una oportunidad de crecimiento extraordinaria que te estás brindando tú misma con las situaciones que enfrentas. Así que NO ES QUE TÚ SEAS EL PROBLEMA porque no lo hay, sino que TÚ ERES EL TESORO que necesitas rescatar, amiga.

Te ves a TI cuando tratas de entender el "problema" porque es a TI que necesitas encontrar. El aparente "problema" lo que hace es apuntarte hacia la salida, ¡que eres TÚ MISMA! Y la Marie que debes encontrar no se parece en nada a las voces del recuerdo en tu cabeza, por eso no la encuentras, porque no tienes idea de cómo es, cómo se ve, cómo se manifiesta y cuán poderosa es. Estás buscando un "algo" que no se parece a la foto que llevas en la mano, porque esa foto está distorsionada con toda la contaminación externa que recibió.

Fíjate que todo lo que piensas y sientes viene de lo que te decían, que es obvio que aún está integrado en tu subconsciente. La vida simplemente te está diciendo "te liberaste de unas cosas y te permití descansar, pero aún falta más por liberar y ahora es el tiempo".

1. *Busca el opuesto en todo pensamiento/recuerdo que te llegue: si te llega "eres incapaz", contrarresta y repite "soy capaz"; cambia "todo lo que haces lo haces mal" por "todo lo hago con excelencia"*
2. *En lo que escribiste arriba, comienza por tachar los no y los nunca, comienza a cambiar adjetivos y palabras negativas por positivas, comienza a tomar las riendas de lo que piensas, ves y dices de ti misma.*

Es hora de diseñar a Marie nuevamente, no como lo que otros vieron o despreciaron, sino como el Ser que es en realidad y como TÚ QUIERES SER.

¿Cómo quieres ser, Marie?
¿Qué quieres que otros vean en ti?
¿Qué quieres que otros digan de ti?
¿Qué puedes recordar positivo de ti?
Diséñate libremente porque no hay error, lo que desees ser en tu corazón, ¡ASÍ ERES!

¿Sabes cómo yo te veo? ¡¡¡Valiente, hermosa, contagiosa, poderosa, brillante, una coach extraordinaria, independiente, excelente madre, excelente amiga, tienes presencia, totalmente capaz de lograr lo que quieres, fuerte, sensible y con un corazón hermoso y grande!!!

Tu coach, Idáliz

No te preocupes, ¡ocúpate!

¿Cómo lidiar con aquello que no queremos y nos preocupa mucho? Como las emociones influyen en todo cuanto hacemos y la preocupación es una de las emociones de "bloqueo" más fuertes, la solución es ocuparse en hacer lo propio para lograr lo opuesto a lo que nos preocupa: Así que no te preocupes, ¡ocúpate!

¿Qué cosas te preocupan?

¿Qué solución se te ocurre para ocuparte de eso en lugar de preocuparte?

Muchas personas no logran manifestar lo que se desean porque se enfocan en los *detalles* en lugar de enfocarse en el *fin*.

Si sabes que tu propósito de vida es enseñar, entonces te vas a enfocar en que ya estás enseñando, no vas a enfocarte necesariamente en el lugar donde lo vas a hacer, el medio que vas a utilizar, cuánto vas a cobrar ni demás detalles. Todos esos detalles pueden formar parte de la visión y del juego, pero enfócate en lo que es crucial, en lo que no puede cambiar.

Esto debe ser así porque la realidad es que no sabes por cuál camino el universo desea llevarte.

Otro ejemplo para explicar este principio es el siguiente: si sabes que tu fin es llegar a un lugar específico, digamos a San Juan, Puerto Rico, los detalles de cómo vas a llegar ahí pueden variar. Tú te vas a enfocar en llegar ahí, pero no te preocupes por el medio en el que vas a llegar. Cuando lo visualices, puedes añadir todos los detalles que desees (imaginar que vas en carro, tren, avión, que te llevaron o que guiaste todo el camino) pero a la hora de manifestar, en realidad lo que importa es el propósito en sí y no los detalles. O sea, enfócate en el qué y deja que Dios y el universo se encarguen del cómo. Depende de lo que te toca vivir y aprender en ese momento, así será el camino y el medio para llegar.

El poder de los sonidos y las palabras y cómo afectan tus emociones

¿Por qué tienen poder los sonidos y las palabras?

Cada sonido es una onda de energía que vibra, ya sea en armonía con aquello que es similar o chocando contra lo que es contrario. Por eso es inevitable que tengan un efecto en el mundo natural y en el espiritual, sin distinción de si son simples sonidos o si son palabras.

Los sonidos pueden atraer, como también pueden derribar muros, provocar tormentas o apaciguar guerras. Lee la historia de cuando el pueblo rodeó y derribó las murallas de Jericó con sonidos de trompeta (*shofar*), el estruendo de sus pisadas al rodear la ciudad y el ruido de sus voces gritando al unísono. ¡Eso fue una estrategia genial!

Pero el poder de las palabras va más allá. Además de ser ondas de sonido, las palabras provocan emociones, en quien las dice y en quien las recibe. También cambian el efecto que tengan en las cosas o personas dependiendo de la emoción (energía) que se les pone al decirlas.

Por eso, cada palabra es en realidad un decreto. Estás firmando acuerdos con cada una de ellas. Las palabras nos marcan, moldean, cautivan, aprisionan o liberan.

Debemos elegirlas con cuidado. Esto no significa que tengamos temor de usarlas, al contrario, hablar palabras es un regalo, un arma poderosa que Dios nos ha dado y que simplemente debemos usar con sabiduría. Vamos a prestar atención a lo que decimos a otros o hacia nosotras mismas. Pero también prestaremos atención a lo que otros nos dicen o nos han dicho en el pasado y preguntarnos:

- ¿Estaré aceptando mentiras o maldiciones de otros sobre mí?

- ¿Estaré bendiciendo o maldiciendo a otros o a mí misma con mis palabras?

- ¿Qué sigo repitiendo acerca de mi realidad que no me está ayudando?

- ¿Qué cosas puedo declarar para que tengan un efecto positivo en mi realidad?

- ¿Cómo hablan las personas que admiro o que están donde yo quiero estar?

Como ya has aprendido, tus emociones y pensamientos afectan tus acciones, influyen en tu entorno, en las personas y situaciones que te rodean. Si deseas cambiar algo fuera de ti, debes transformar esa energía interna primero.

¿Qué activa tus emociones (positivas o negativas) y qué cosas se afectan por estas emociones o energía que está dentro de ti?

Los 13 elementos de tu Círculo de Poder Personal

Vamos a explorar los elementos que activan nuestras emociones positivas y con ellos crear un Círculo de Poder Personal y anclar con nuestro centro de empoderamiento. Puedes añadir otros elementos que no estén en la lista y reconozcas que te hacen sentir empoderada. Aquí resumo los 13 elementos que considero más importantes:

1. Palabras (habladas o recibidas): las palabras son dichas con emoción, debemos prestar más atención a lo que decimos, especialmente aquello que decimos automáticamente sin pensar, porque nos muestra lo que hay en el subconsciente. Las palabras que escuchamos también provocan, o más bien, activan emociones guardadas. Si había resentimiento en ti, las palabras de otra persona hacia ti lo pueden activar. Por eso debemos estar alertas ante lo que sentimos cuando alguien nos dice algo. Si te dolió, busca el porqué. Toda situación apunta siempre hacia adentro. No pierdas el tiempo pensando en lo mal que está la otra persona y lo mucho que tiene que cambiar o crecer, la mejor forma de sacarle provecho a ese suceso es ver de qué forma te ayuda a crecer.

   ¿Qué estás diciendo?

   ¿Qué palabras de otros estás escuchando/ aceptando?

2. Música y Sonidos: las ondas de sonido provocan cambios en las moléculas del cuerpo y de todo lo que nos rodea porque todo es energía. Pero además, al igual que el tema de los colores que discutiré más adelante, los sonidos nos han acompañado desde el vientre y hemos creado anclajes y programaciones con ellos que están guardados en la memoria. Las ondas de sonido pueden ser tan fuertes que literalmente pueden cortar y romper acero y roca. Inclusive, se utilizan tratamientos de ondas de sonido hasta para romper piedras en la vesícula.

   ¿Qué música o sonidos estás escuchando con frecuencia?

3. Colores y olores: ambos activan, provocan emociones y también tienen sus propias frecuencias de energía que son coherentes o incoherentes con energías del cuerpo y del entorno.

   ¿Qué colores y olores te hacen sentir bien?

   ¡Descubre cuáles van contigo por cómo te hacen sentir y úsalos!

4. Energía del entorno: lo que otros piensan, hacen, dicen y todos los elementos visibles, audibles y hasta los que se perciben en el espíritu afectan nuestras emociones para bien o para mal. Crea un entorno apropiado en los espacios sobre los que tengas control; por ejemplo, tu casa, oficina y carro. Evita los lugares que estén fuera de tu control; si no puedes evitarlos, entonces, enfócate en no dejar que contaminen tu entorno interior, manteniendo pensamientos positivos.

   ¿Cómo te sientes con tu entorno en casa, en tu trabajo, en los lugares que frecuentas?

   ¿Cómo puedes transformar tu entorno?

5. Alimentos: los alimentos también son energía y tienen su propia frecuencia. Esta frecuencia vibra a una resonancia que puede ser coherente o incoherente con nuestros órganos. Además, también hemos creado anclajes con ciertas comidas. Algunas nos hacen sentir bien porque están acompañadas de buenos recuerdos aunque sean subconscientes. Otras pueden provocar lo contrario.

   ¿Qué estás comiendo?

   ¿Cómo te hace sentir?

6. Actividad física: ayuda a mover y hacer fluir la energía del cuerpo, también ayuda a liberar emociones, estrés y reducir ansiedad. No hacerlo provoca lo contrario, acumulación de energía, de tóxicos y de estrés que, a su vez, proyectamos en todo lo que hacemos.

   ¿Qué actividad física realizas diariamente?

Si no haces ninguna, ¿qué puedes comenzar a hacer hoy?

La meditación puede ser incluida como actividad física, aunque también representa una actividad espiritual. Considera en tus actividades esta práctica. Nos ayuda a conectar y traer al consciente lo que está en el subconsciente, además de relajarnos que siempre es bueno para mantener un estado emocional saludable.

¿Estás sacando, al menos, unos minutos al día para meditar?

Si no, ¿cómo podrías incorporar esto a tu estilo de vida? ¿A qué hora?

¿Qué crees que ganarías al practicarlo?

¿Qué estás perdiendo por no practicarlo?

7. Comunicación/expresión de emociones: expresar nuestras emociones es clave para no acumular energía demás en el cuerpo. No expresarnos puede causar afecciones de garganta y toxicidad en el cuerpo. No comunicarnos afecta las emociones precisamente porque al no liberarlas quedan atrapadas, se contaminan (como se pudre el agua estancada) y daña el resto del cuerpo incluidos el cerebro y el corazón. Nuestro razonamiento se ve afectado también. La falta de expresión crea bloqueos mentales, no nos permite pensar libremente porque eso que no se está hablando nos está robando energía. El corazón se debilita por ser el asiento de las emociones.
¿Qué estás callando que te está haciendo daño?

¿Cómo puedes comenzar a expresarte sin causar daño a otros?

¿En qué parte del cuerpo sientes que estás acumulando energía por falta de expresión?

¿Cómo crees que te ayudaría si comienzas a expresarte y soltar esa energía?

8. Vestimenta: nuestra apariencia física siempre influye en cómo nos sentimos y, por ende, cómo actuamos. Las personas reciben una impresión de nosotros y nos tratan tal cual sienten, pero además transmiten la energía de sus pensamientos hacia nosotros. Si nos vestimos de manera que nos haga sentir poderosas, eso es lo que proyectamos, la gente lo percibe no tanto por la vestimenta sino por la energía que transmitimos en ese momento al sentirnos poderosas. Su reacción hacia ti validará eso agregándote más energía poderosa. Esto no tiene que ver con presupuesto ni con estilos, tiene que ver con lo que resuena contigo.

¿Te estás vistiendo de manera que te haga sentir poderosa?

Si no, ¿qué puedes cambiar para sentirte bien?

9. Círculo de personas: ya sabemos cómo el círculo de personas que nos rodea afecta nuestras emociones. Todo el tiempo aun sin saberlo estamos conectando, transmitiendo y proyectando, pero también transfiriendo energía a otros.

¿De quiénes te estás rodeando?

10. El juego y las artes (escritura, pintura, baile): cualquier forma de expresión y creatividad activa las emociones, por lo general, positivas. Crea el hábito de practicar cualquiera con la cual te sientas cómoda o alguna que siempre hayas deseado hacer y rompe tus limitaciones mentales. Las artes te ayudan a conectar con tu centro, con la fuente y se generan las mejores ideas en este proceso. Es similar al juego. El juego te conecta con tu niña interior, libera emociones y activa la creatividad. *¡Cuando jugamos, el estrés no puede permanecer en nosotros porque es opuesto! El juego produce exactamente las energías opuestas al estrés.*

¿Qué tipo de arte y juegos te gusta practicar?

¿Qué te gustaba jugar antes que podrías hacer ahora?

¿Qué tipo de arte te llama la atención que nunca has hecho?

¿Lo probarías? ¿Cuándo vas a comenzar?

11. Imágenes: Lo que vemos afecta muchísimo nuestras emociones y no importa si es real o es en fotos o películas, tu cerebro lo capta y no distingue entre real o no, la reacción es la misma. Por eso debemos ser muy conscientes de lo que vemos, elegir imágenes impactantes y positivas para nuestro tablero de visión (vision board) y también, saber en qué momento viste algo que afectó negativamente tu estado emocional para soltar esa emoción.

Piensa rápidamente en una imagen que siempre te hace sentir feliz o poderosa. Busca la manera de incorporarla a tu espacio y verla a diario.

¿Qué ves a diario que te causa estrés? Si es en un entorno que puedes cambiar (casa, carro, oficina), ¿qué harás para eliminar o cambiar la imagen?

12. Recuerdos: es inevitable que los recuerdos nos pasen por la mente en cualquier momento, pero lo que sí podemos evitar es quedarnos perpetuando un recuerdo perturbador que activa una serie de emociones negativas en nosotros. Cuando recuerdes algo que ya sucedió y te hace sentir mal, déjalo ir, no te quedes prolongando el recuerdo. No le des más energía. Los recuerdos pierden energía cuando no invertimos tiempo pensando en ellos. Si es un mal recuerdo, no lo prolongues. Si es un buen recuerdo, provoca recordar, agrégale energía pensándolo y que ese sentimiento se quede contigo todo el día.

¿Qué cosas recuerdas que te hacen sentir bien y feliz?

¿Cómo puedes traer ese recuerdo a tu vida con más frecuencia?

13. Afirmaciones diarias: escritas o habladas, en especial las de agradecimiento.

¿Tienes dónde escribir tus afirmaciones diarias?

Si aún no lo haces, ¿de qué manera y en qué momento es bueno para ti incorporar esto a tu nueva vida?

El agradecimiento y el amor son las emociones positivas más poderosas. Llena tu día de cosas, personas y actividades que provoquen ambas y verás que tu vida se convierte en puro amor y gratitud.

Todo el tiempo estamos percibiendo el mundo con nuestros sentidos y todas esas cosas activan diversas emociones. Las emociones nos ayudan a tomar decisiones, a movernos, a defendernos y a vivir. Lo importante es ser consciente de las emociones que sentimos que nos limitan o afectan negativamente nuestro desempeño diario o en nuestros planes, reconocer qué es lo que lo activa y manejarlo. Eliminar o reducir los elementos que activan emociones negativas en nosotros y aprender a reconocer y utilizar a nuestro favor lo que activa emociones positivas.

Esta energía o estado emocional afecta nuestra salud física, nuestras decisiones y acciones, nuestra motivación, nuestra comunicación y expresión, nuestro balance entre cuerpo, mente y espíritu, nuestro poder para manifestar, nuestras relaciones y nuestro amor propio.

Ejercicio 10

Mi Círculo de Poder Personal

Agrega al círculo de uno a tres elementos por cada uno de los 13 elementos principales. Los elementos principales son:

1. Palabras	6. Actividad física	11. Imágenes
2. Música/Sonidos	7. Expresión de emociones	12. Recuerdos
3. Colores/olores	8. Vestimenta	13. Afirmaciones
4. Entorno	9. Personas	
5. Alimentos	10. Juegos/artes	

Por ejemplo, puedes escribir tres palabras; tres personas; una imagen y dos piezas de vestir; tres afirmaciones.

También puedes crear círculos adicionales, específicos por cada área o elemento. Por ejemplo, puedes tener un círculo de sonidos e incluir en él los audios, sonidos de la naturaleza, voces y otros sonidos que te empoderan.

¡Sal a jugar! Piensa, habla y actúa como la persona que deseas ser como si ya fuese.

Vístete, muévete y exprésate como esa persona que deseas ser. Declara que ya lo eres cuando te presentes. Mantén clara tu visión de lo que estás manifestando.

Ya aprendiste a transformar tu energía y tu programación mental para crear tu realidad de manera consciente. Esa fue la primera etapa de trabajo, pero aún no estabas tomando acción del todo. Ahora sí vamos a tomar acción externa utilizando los nuevos pensamientos y emociones que hemos ido creando en los pasados capítulos y, particularmente, con los ejercicios.

Tomar acción es una forma de mover energía para que las cosas sucedan y básicamente hay tres maneras de mover la energía:
1) acto simbólico
2) acto de riesgo
3) acto de fe

Un acto simbólico es, por ejemplo, comprar la pintura para pintar tu nueva oficina que aún no tienes pero deseas manifestar; hacer un cheque por la cantidad de dinero que desearías ganar anualmente; hacer espacio en tu clóset para toda la ropa nueva que viene; comenzar a dormir en un solo lado de la cama para dejar espacio para esa nueva pareja que viene en camino. En fin, son acciones grandes o pequeñas en las que creas espacio y te preparas para recibir eso que estás manifestando como si "ya es".

Un acto de riesgo es más fuerte, también es más poderoso, pero requiere más cautela. También requiere que tengas más fe. Por ejemplo, poner en venta tu casa porque sabes que la casa de tus sueños viene en camino porque la estás manifestando; invertir el dinero que tienes a la mano (o parte de él) porque estás manifestando abundancia y sabes que viene más; alquilar o comprar espacio de oficina aun cuando no tienes clientela porque sabes que estás manifestando esa clientela y viene de camino.

Un acto de fe, aunque los anteriores también requieren fe, es un acto donde estás derribando tus miedos. Estos son actos que te sacan totalmente de tu zona de comodidad y por eso son bien poderosos. Por ejemplo, si te da miedo hablar en público y te ofreces para dar una charla o conferencia, eso es un acto de fe. Es un acto en el que una parte de ti te dice que tienes la capacidad de hacerlo y que sabes que ya todo el universo te ha guiado a eso, pero otra parte de ti tiene temor de quedar mal, de no ser capaz, de que se rían o no te salga bien. Es un acto que requiere que confíes plenamente en Dios y en lo que has descubierto sobre ti misma en los primeros pasos de este libro: *tienes toda la capacidad de hacer lo que desees y crear tu propia realidad.*

La idea de todo esto, no importa cuáles actos lleves a cabo, es que muevas la energía a tu favor. Hasta el momento, cuando estabas teniendo quizás un poco de dificultad para manifestar tus sueños, la energía estaba estancada; como el agua del río que se empoza en un punto porque el terreno o las rocas le impiden fluir.

Esa agua/energía estancada se ensucia, provocando toda clase de problemas y síntomas. En el caso de la energía estancada, puede provocar problemas en las relaciones, depresión, enfermedades, tristeza y todo tipo de emociones y situaciones negativas. Literalmente, crea toxicidad en tu cuerpo, mente y espíritu. Por eso te sentías quizás insatisfecha, incompleta o en desbalance.

En los pasados capítulos, has estado limpiando ese "estanque", abriendo canal para que el agua/energía comience a fluir nuevamente. Es de esperarse que esto revuelque todo tipo de emociones en lo que todo vuelve a su nivel.

Pero ya debes estar lista para crear de manera consciente y enfocada en la realidad que deseas de acuerdo, y en armonía, con tu propósito de vida.

Aprende a pedir y sobrepasa siempre tus propias expectativas

Cuando aprendemos sobre la Ley de Atracción comenzamos a pedir con una fe que para nosotros es "inmensa" porque no estábamos acostumbrados a eso. ¿Pero por qué aun así no recibimos?

Una persona que nunca haya salido fuera de las cuatro paredes de su casa, decide salir un día —después de mucho luchar consigo mismo logra echar pie fuera de la casa, fuera de su zona de comodidad— pero no se percata de que aún está agarrando la puerta... y permanece tan cerca (como para volver a entrar corriendo en el momento que perciba peligro) que no ocurre un cambio mental (ni de visión) significativo como para que provoque cambios en su vida... literalmente está sujeto a su pasado, a su zona de comodidad aunque se crea estar ya fuera de ella.

Para que ocurra un cambio mental de programación que provoque cambios externos significativos tenemos que llegar más allá. Suelta la puerta, baja las escaleras.... detente, observa... fíjate que hay un mundo entero allá afuera que no habías visto antes desde la ventana, ni siquiera desde la puerta.

Esa fe "inmensa", ese "cambio mental" que has percibido no es tan grande como has creído… todavía hay más, mucho más… y lo que pides no lo recibes porque lo que pudieses recibir es mucho más grande de lo que pides.

No podemos pretender cambios radicales en nuestra vida cuando los pasos que hemos dado fuera de la zona han sido tan pocos, tanto que seguimos agarrados de la puerta. Esto no quiere decir que te lances a ciegas, corriendo desde donde estas. Significa que continúes dando pasos, que pueden ser cortos, pero que te alejen cada vez más de la zona cómoda en la que te encontrabas si es que deseas seguir creciendo y logrando más en tu vida.

Soltar lo que no nos pertenece

De vez en cuando hay que quitarse la bendita capa de héroe y dejar que los demás hagan su parte. En realidad no les hacemos un favor resolviéndoles sus asuntos, los estamos limitando en su desarrollo y cumplimiento de sus deberes y hasta de su propósito de vida. Discierne con sabiduría hasta dónde debes intervenir. Aprende a decir "no" con amor, pero con firmeza.

Muchas veces cuando otros te reclaman que no estás haciendo suficiente, eres tú misma quien se reclama internamente por la falsa ilusión de no hacer suficiente para todos y en todo momento. El reclamo de ellos es una proyección de lo que sientes. Libérate de esa forma de pensar. Logra la paz contigo misma reconociendo que haces lo mejor que puedes hacer con el conocimiento que tienes y llegas hasta donde te corresponde llegar. ¡Esto es empoderarse!

Con demasiada frecuencia nos encontramos tratando de cumplir con las expectativas que otros tienen de nosotras mismas. Tratamos de complacer y hacer felices a otros y muchas veces sacrificamos nuestros propios deseos y sueños en el proceso de cumplir con los demás.

Esto no solo drena nuestra energía, sino que desencadena una serie de emociones contraproducentes al no poder satisfacer a todos o dejarnos a nosotras mismas a un lado por satisfacer a los demás. Estas emociones pueden ser insatisfacción, culpabilidad, que nada de lo que hago es suficiente, resentimiento contra otros o contra mí, coraje, sentido de abandono, estrés y demás. ¡Todo lo que manifestamos surge desde las emociones! Vamos a limpiar nuestro estado emocional comenzando por "devolver" a cada uno lo que no nos pertenece a nosotras.

1. Describe lo que otros esperan de ti (cuáles son las expectativas de tus padres, tu pareja y otras personas importantes en tu vida). Puedes escribir en párrafos o hacer una lista de palabras claves.

2. Describe lo que tú esperas de ti misma, ¿cuáles son las expectativas que tienes de ti?

3. Compara: ¿De qué forma crees que las expectativas de otros han influido en lo que esperas de ti misma? (Por ejemplo: quizás tienes la expectativa de hacerlo todo a la vez, no porque realmente lo quieras, sino porque es lo que otros esperan de ti)

4. Aclara y libérate: Observa la lista que creaste, analiza cuáles de esas expectativas son reales (puedes y quieres realizar) y cuáles han sido influidas por otros.

Es hora de soltar lo que no es tuyo. Sé realista y dulce contigo misma. Acepta solo aquello que puedes y quieres realizar con amor. Sé firme y atrévete a comunicar lo que sientes con las personas importantes en tu vida. Pon límites, devuelve lo que no te pertenece o simplemente pide ayuda donde entiendes que otros también deben involucrarse.

Aceptar que no "podemos" con todo es de valientes, pedir y aceptar ayuda también. No solo te libera de lo que está demás, te empodera y también te permite dedicar tiempo y espacio a las cosas que sí son tuyas y que nadie más puede hacer como tú porque solo tú fuiste creada y diseñada para hacerlas. Como si esto fuera poco, al hacer esto por ti, estás permitiendo que otras personas realicen su parte en la vida, se desarrollen y cumplan con su propósito también.

Soltar para recibir

Parece irónico que, para recibir o manifestar algo, debemos soltarlo. Pero hay una ciencia detrás de eso y es que "soltar" se refiere a que no nos aferremos o nos obsesionemos con el resultado. De hecho, cuando estamos así y no queremos soltar es una señal de que no hemos confiado o creído realmente. Si creemos y confiamos podemos soltar libremente porque sabemos que nuestra bendición nadie la puede arrebatar y no se pierde.

Soltar también se refiere a cambiar paradigmas, conceptos preconcebidos y creencias sobre algo. Se refiere a que sueltes lo que estás cargando para que puedas recibir algo mejor. Se refiere a que quizás tu idea de cómo hacer dinero, por ejemplo, no sea la mejor para ti y el universo trata de entregarte una forma aún mejor pero si no te deshaces de la idea que tienes entonces no podrás ver la que el universo tiene para ti. Así que soltar significa no aferrarse a lo que estás pidiendo y dar paso a que el universo te muestre su grandeza sin límite y con todas sus posibilidades.

¿Qué no has soltado aún?

¿Qué idea o creencia tienes interiorizada que no te ha dado el resultado que buscas?

¿Estás dispuesta a escuchar nuevas ideas, quizás alguna que jamás habías considerado?

Eso que llevas pidiendo por tanto tiempo y no llega a ti, ¿crees que puedas soltarlo y confiar que Dios tiene algo aún mejor para ti? Entrégalo y deja que te muestre porque lo que tiene para ti es mejor que lo que pides.

Lo que te hace feliz no tienes que buscarlo, deja que llegue a ti

La vida se vive por etapas. Quizás eso que has estado haciendo por un tiempo o la forma de hacerlo está por caducar. Si de repente te sientes confundida cuando sigues haciendo lo mismo, probablemente estás en un proceso de transición. Eso que has hecho por un tiempo quizás necesite una revisión, posiblemente, hay una manera mejor de hacerlo que va alineado con la nueva vida que estás creando. O quizás ya no necesitas hacerlo más.

Preocuparnos tanto por si debemos o no continuar en el mismo camino causa muchísima ansiedad y la ansiedad a su vez genera otras situaciones estresantes. Cuando estés en un proceso similar, simplemente sigue caminando con lo que la vida te va presentando, sin forzar nada. Las respuestas llegarán a ti.

¿Lo que haces ahora te hace feliz?

¿Qué es lo que no te gusta?

¿Qué le cambiarías para que sí te haga feliz?

Si pudieras dejar de hacer eso y hacer algo diferente, ¿qué sería?

La realidad es que, para que algo nos haga feliz, primero debemos ser felices. En otras palabras, nada externo puede darte felicidad. La felicidad es un estado interno. Cuando eres feliz, tú influyes con esa buena vibra todo lo que te rodea incluido tu trabajo o tus relaciones.

¿Cómo puedes ser feliz ahora sin importar lo que estés haciendo?

¿Qué es lo que realmente te gusta hacer?

Tu camino lo encuentras con tu corazón; con el cerebro, organizas los pasos

El cerebro quiere hablar todo el tiempo, y grita más fuerte que el corazón. Quiere razonar y analizar todo, solo piensa en lógica y cálculos, en sentido y razón. Esa es su función, organizar y medir los riesgos: es necesario y lo hace muy bien. Pero es el corazón quien te guía y te muestra el camino, con el cerebro entonces organizas los pasos para llegar a él. Si no lo hacemos en el orden correcto, causa frustración y gran confusión.

Cuando nos "perdemos" con frecuencia se debe a que el cerebro logró distraernos con sus razonamientos, dejamos de escuchar y sentir al sabio corazón. El corazón se comunica de manera diferente. Cuando lo buscas, no te "habla" sino que te muestra... te lleva a "sentir" y conectar con todo, no para "resolver problemas" sino para conectarte nuevamente con todo tu ser, para que percibas, intuyas y actives tu sabiduría y poder. El corazón sabe que si logra llevarte a esa conexión con tu sabiduría interna, podrás resolver luego cualquier situación.

Escuchar primero al cerebro antes que a tu corazón, es como contratar un experto para que desarrolle tu negocio, sin saber antes cuál es tu visión.

Busca siempre la forma de que trabajen juntos, pero en el orden correcto. Procura siempre que la sabiduría eterna de tu corazón emane antes de tomar cualquier decisión. Practica el conectar con tu interior para sentir, para saber dentro de ti lo que es, lo que debe ser, lo que siempre fue; extrae el *blueprint* o el diseño, entonces comunícale al cerebro para que te ayude a ordenar los pasos que te llevarán a cumplir tu misión.

Capítulo 7

Define tus metas y redirige tu energía

El águila falla un 50% de las veces que se lanza tras su meta

El águila falla un 50% de las veces que se lanza tras su meta (atrapar la presa). Pero el águila no se rinde, no cambia su meta y mucho menos duda de quién es por fallar la mitad del tiempo. Algo importante: su presa puede cambiar; si no atrapó una, va por otra. Porque la meta no era atrapar esa presa en particular, sino comer. ¡Y eso no cambia!

Para nosotras manifestar lo que queremos, nuestro enfoque debe ser lo que *realmente* queremos. El dinero es solo uno de tantos medios para conseguirlo. La meta es lo que pensamos que el dinero nos puede conseguir, sean cosas o sea la satisfacción de tener el poder de decidir.

¿Qué es lo que *realmente* quieres?

Para mí se resume en "libertad". Es lo que realmente deseo. Esa es la meta que no cambia. Si me enfoco en eso, el medio puede cambiar, eso se lo dejo al universo.

✓ Decreto: YO SOY una mujer libre: para cumplir mi propósito, para conseguir lo que quiero, para estar donde deseo estar, para tocar las vidas que vine a tocar, para decidir lo que voy a manifestar. Cuando estoy conectada con mi identidad y mi propósito, las puertas se abren para mí con solo dar el primer paso. ¡Yo vuelo en las alturas como águila!

✓ Ejercicio: Redefine tu meta o propósito según lo que realmente quieres. Deja los detalles del cómo sucederá y los medios para conseguirlo a Dios por medio del universo.

Como expliqué en el capítulo 2, el proceso para manifestar es materializar lo que visualizamos. Debe ser sencillo, sin pensar demasiado para evitar crear miedos, ansiedad y desconfianza, que son bloqueos para la manifestación. Aquello por lo cual no te preocupas, pero que está en tu frecuencia vibratoria, comienza a llegar a ti en cuanto pones tu intención en ello. Al visualizar, soltar, disfrutar y agradecer lo que tienes, le permites fluir y llegar a ser. Así que, a trabajar en manifestar esos sueños. Diviértete creando, juega como toda una campeona, diseña tu realidad, utiliza tu poder al máximo y... ¡disfrútalo!
Vamos repasando lo aprendido para redefinir las metas según tu identidad personal, clara de cuál es tu misión en la vida, empoderada y conectada con tu esencia interna, más segura y asertiva. Ahora elegirás metas alineadas con tu propósito, que traen paz a tu corazón y por las cuales el universo trabajará a tu favor para que manifiestes sin resistencia y fluyendo con toda tu energía.

Repasemos nuevamente los pasos para manifestar

1. Define lo que quieres. Cuando pienses en una meta pero no estás segura o no logras tomar una decisión, pregúntate para qué quieres eso, qué harás con eso, qué pierdes si no lo obtienes, qué logras con eso...
2. Pon tu intención en eso que quieres. Dirige tu atención (pensamientos), enfoque y energía (emociones) a eso que quieres.
3. Cree. Cree que es posible, que ya es tuyo, que la Ley de la Atracción funciona, que Dios quiere bendecirte, que lo mereces y que ya existe en el plano de la realidad y solo falta materializarlo en tu vida. Cree que cada vez que lo piensas y diriges tu intención estás entrando en la frecuencia vibratoria de eso que deseas.
4. Detecta y suelta los bloqueos emocionales. Toda emoción negativa como la duda, la preocupación, la ansiedad o el miedo, creará un bloqueo para esa manifestación o la atrasarán. Detecta y reconoce estas emociones cuando surjan, no las rechaces, simplemente reconócelas y suéltalas, afirmando tu creencia y tu fe de que todo es posible.
5. Visualiza lo que quieres. Utiliza las herramientas de la visualización como imaginar vívidamente, crear un tablero de visión (*vision board*) con imágenes que te inspiren, practicar afirmaciones diarias, meditar... Las herramientas de la visualización son cosas que activan tus emociones al aplicar los sentidos de la vista, el olfato, el tacto, la audición y el gusto. Cuantos más sentidos apliques a la visualización más efectiva es en generar emociones fuertes y congruentes con lo que estás manifestando.
6. Afírmalo con tus palabras. Ya aprendimos sobre el poder de las palabras. Son energía que atrae energía similar y además generan emociones; estas emociones serán una confirmación a lo que estás manifestando o cancelan la manifestación si no son congruentes con lo que pides. Si hasta ahora estabas visualizando abundancia pero al hablar solo hablas de escasez y carencia, las emociones de la escasez y la carencia serán más fuertes que lo que estabas visualizando. Continuamente verifica si tus palabras son congruentes con lo que deseas manifestar y habla en tiempo presente como que ¡ya eso es!
7. Toma acción. Para tomar acción los pasos pueden ser grandes o pequeños, no importa, haz lo que sientas en tu corazón. Recuerda que muchas veces la escalera no se ve hasta que damos el primer paso. En tomar acción estás moviendo energía. Y no importa si esa primera acción no dio fruto, en realidad, al mover la energía es imposible que no suceda nada, lo que sucede es que a veces el resultado llega por otro medio que no era el que esperábamos. ¡Confía! Da cada paso con fe, sabiendo que te estás moviendo a favor de tus sueños. No hay acción correcta o incorrecta, si sientes hacer algo en particular confía en tu instinto.
8. Mantén el entusiasmo y la expectativa. Cuando ordenamos algo que sabemos que viene nos mantenemos contentas porque eso está en camino. Cuando pedimos a Dios o al universo, sin dudar nada, así nos deberíamos sentir: con entusiasmo y a la expectativa. Si no te sientes así, revisa tu creencia y tu confianza. Prepara el camino, el espacio, tu agenda, tu vida

para lo que viene de camino que has estado manifestando. Eso de por sí es un paso de acción que mueve la energía y afirma lo que deseas.

9. Agradece. No solo debes agradecer lo que estás manifestando como muestra de tu fe de que eso viene, más importante aún es agradecer lo que tienes ahora, agradecer el proceso, incluso agradecer lo que no tienes ahora.

Ejercicio 11

Repasa lo que has aprendido hasta ahora

Enumera o escribe libremente las cosas que han cambiado, que has logrado o aprendido a lo largo de este curso, esto es para que seas conscientes y afirmes los cambios.

¿Qué ha cambiado en ti...
- emocionalmente?

- intelectualmente?

- espiritualmente?

- profesionalmente?

- y en tus relaciones?

- y en tu salud física?

- en otras áreas?

¿En qué nivel sientes que estás ahora? Revisa el Círculo de Perspectiva Personal en el Ejercicio 2 del Capítulo 1).
¿Cómo ha cambiado tu grado de satisfacción?

Establece nuevos paradigmas. Completa las siguientes oraciones con ejemplos de tu nueva realidad. Puedes mencionar más de una cosa en cada oración.

Pude vencer...

Cambió mi percepción en cuanto a...

Tuve un "*aha moment*" sobre...

Descubrí sobre mí...

Cancelé estas creencias...

Adopté estas nuevas creencias fortificantes...

Mis relaciones han mejorado así...

Una vez has logrado cambios en tu forma de pensar y de hablar, también han cambiado tus emociones. Como efecto de eso, tus acciones estarán alineadas con tus metas y sueños. Puedes definir ahora con más claridad lo que quieres en tu vida porque sabes quién eres y también sabes que no hay límites. Ya no hay miedos y creencias limitantes que te impidan ver cuán lejos puedes llegar. Desde esta energía de libertad, empoderamiento y amor propio puedes trazar tu camino sin aferrarte a los detalles porque sabes que destinada para grandes cosas.

Ejercicio 12

Redefine tus metas
(Cómo lograr metas con la programación neurolingüística o PNL)

En la programación neurolingüística (PNL) se trabaja el ejercicio *la buena formación del logro deseado* para ayudarte a organizar tus pensamientos de modo que puedas moverte desde donde te encuentras en el presente hacia donde deseas estar.

Primero debes saber exactamente qué es lo que quieres lograr. Eso que deseas lograr, escríbelo en términos positivos y en tiempo presente como si ya fuese una realidad. Luego, viaja en el tiempo hacia tu meta como ya alcanzada.

Viaja hacia el futuro

Para definir los pasos y la ruta hacia la meta, viaja hacia el futuro y responde: ¿qué es lo que siento, veo, oigo, cómo me sabe, qué huele diferente ahora que he logrado esto? Aplica tus cinco sentidos y describe lo que puedes apreciar diferente al haber logrado eso.

¿Cómo respiro ahora que he logrado esto?

¿Cómo camino y cómo me siento ahora que he logrado esto?

¿Cómo me veo, qué tipo de ropa uso, qué clase de automóvil manejo, cómo se ve mi casa?

¿Cuál es la fecha de culminación de lo que he logrado?

¿Con quién he logrado esto?

¿Quién me ayudó a lograr esto?

¿Qué obstáculos he tenido que vencer para lograr esto?

¿Qué otras cosas he logrado al lograr esto?

¿Qué estás declarando o cómo hablas ahora?

Intuición: ¿Qué dicen las señales a tu alrededor?
¿De qué forma se están beneficiando otras personas al yo haber logrado esto?

Mira tú presente desde tu futuro alcanzado y piensa, ¿qué fue lo que hice para llegar ahí?

¿Qué acción has tomado todos los días para acercarte a tu meta?

¿Cuáles hábitos te ayudaron en el logro de tu meta?

¿Cuáles hábitos o acciones eliminaste porque no te ayudaban?

¿Qué pudiste hacer diferente de inmediato?

¿Qué tuviste que soltar?

Mira a tu alrededor, ¿con qué recurso contabas que pudiste comenzar?

¿Cuáles han sido los pasos necesarios para haber logrado esto?

Aplica los secretos de la Ley de la Manifestación para una vida exitosa

Las personas más exitosas del mundo tienen muchas cosas en común, entre ellas, son seguras de sí mismas, saben lo que quieren y saben aplicar los pasos para obtenerlo.

Pero tienen otras cosas en común de las cuales casi nadie habla: han pasado por momentos de confusión, han perdido de vista el camino alguna vez, se han quedado "estancados" en algún punto sin saber cómo moverse en más de una ocasión y han necesitado en algún momento de su vida un mentor, una guía y alguien que les ayude a ver con claridad nuevamente. ¿Te identificas con esto? ¿Te has sentido así recientemente?

Casi todas (si no todas) las personas exitosas han pasado por algún proceso de transformación interno, que ha retado sus creencias limitantes y les ha llevado a descubrir que tienen dentro de sí el poder para cambiar su realidad. El propósito de ese momento de confusión y estancamiento es precisamente ese, llevarte a descubrir más, a encontrar respuestas y a activar en ti lo que de otra manera quizás no hubieras descubierto.

Lo valioso de pasar por este proceso de autodescubrimiento es que una vez que te conoces y conectas con ese poder interno, no importa cuántas veces caigas, sabrás levantarte porque estás conectado con esa fuente de poder.

Para tener un negocio exitoso, primero debes ser una persona exitosa. El éxito se vive, es un estado interno, un estilo de vida. Ese estado interno de éxito se compone de pensamientos, energía emocional, actitud y acciones.

Crea dentro de ti un estado de éxito y se manifestará en todo lo que emprendas y aun cuando experimentes un aparente fracaso saldrás victoriosa, porque el éxito no está en el negocio que emprendas, sino en ti y va contigo dondequiera que pongas tu corazón.

Lo sé porque yo pasé por esa búsqueda, fui muy tímida e insegura, sabía que tenía potencial pero no tenía idea de quién era ni qué quería para mi vida. Todas las señales en mi camino me dirigieron hacia dónde estoy hoy día. ¿Has notado las señales en tu vida? ¿Sabes que te dirigen hacia la vida espectacular que te mereces?

Capítulo 8

Tu punto en el mapa: dónde estás y hacia dónde vas

Estamos finalizando este libro y con él, si has tomado el tiempo de hacer los ejercicios, también estás culminando tu transformación. Es muy importante tener en cuenta que "cuando oras por lluvia debes estar dispuesta a lidiar con el lodo". Esto significa que vendrán situaciones y saldrán a la luz cosas que deberás manejar para hacer los cambios que buscas y son también parte del proceso. Si no lo tomamos en cuenta, nos podemos desanimar, pero si lo tenemos presente, puede ocurrir todo lo contrario y al enfrentarlo nos servirá de confirmación de que estamos en el camino correcto y solo hay que resistir un poco para pasar al otro lado del puente.

Para hacer cambios es necesaria la destrucción de lo viejo para luego construir lo nuevo. Nuestros patrones mentales llevan tiempo instalados en nuestra mente, y hemos funcionado en automático desde esos patrones por mucho tiempo. Cuando decidimos hacer el cambio e instalar nuevos patrones mentales que sean congruentes con lo que deseamos manifestar, conlleva que pasemos por el proceso de limpieza primero. ¿Y, qué es lo que pasa cuando vamos a hacer una limpieza profunda para atraer lo nuevo? ¡Exacto, primero se hace reguero! Hay que romper, quitar, sacar, botar, derribar... para luego construir, acomodar, pintar y manifestar el diseño que queremos.

En el proceso de botar, sacar y derribar a veces nos detenemos a pensar: "Oh Dios, ¡quién me mandó a meterme en este lío! Lo pude haber dejado como estaba, pero noooo... yo tan sabia, me da con hacer cambios y ahora estoy hasta el cuello en este caos que he creado". Es el momento de la prueba: ¿continúo sacando lo que no sirve para instalar lo nuevo o me quito?

Para entender esto mejor pensemos en la limpieza antes de Navidad que hacemos en el hogar, pensemos en cuando decidimos ponernos en forma o cuando estamos pariendo. En cada uno de esos ejemplos, siempre hay un punto en que nos preguntamos: "¡¿por qué me metí en esto?!". Pues la buena noticia es que siempre podemos elegir. Si sigues o no es tu decisión. La mala noticia: si eliges dejar todo quietecito para no tener que lidiar con el caos del cambio, ¡jamás lograrás hacer el cambio! Regresarás a lo mismo, con todo e insatisfacción y conformismo.

La recompensa se alcanza cuando en ese momento de la duda, nos detenemos un momento, revisamos nuestras razones para querer el cambio, retomamos nuestra pasión, reconectamos con nuestro poder y el poder de Dios en nosotros, y decimos: "resistiré un poco más de sacar y botar porque el resultado vale todo mi esfuerzo".

Las declaraciones no fallan, la reprogramación es real y posible; tu poder interno para crear tu realidad es real y está activo. Lo único que puede fallar es

124

que en ese momento crucial, en esa encrucijada, elijas regresar a tu zona de lo conocido, triste y cabizbaja por creer que no podías llegar.

Tú sí puedes, si es posible para otros, lo es también para ti. Eres *poderosa* porque en ti están las respuestas y toda la capacidad que conlleva al triunfo. No lo dudes. La duda, la preocupación y la ansiedad bloquean el canal para recibir. Suéltalo, confía y cree. Vuelve a enfocarte, retoma tu misión y camina.

No estás perdida, estás desorientada

El miércoles, 31 de octubre de 2013, me di tremenda "perdida" para llegar a Cataño, Puerto Rico donde me esperaba un grupo de casi 600 jóvenes líderes, para que les ofreciera una charla motivadora, según había sido invitada. Soy de Cayey, un campo donde la vida es más sencilla y a mí las carreteras de la cuidad aún me confunden un poco. Aunque ya me habían dado direcciones de cómo llegar, en cierto momento me tuve que detener porque pensaba que me había salido completamente de ruta. Tuve que llamar a una amiga que me esperaba en mi destino de esa mañana y que ya conocía el camino, para que me ayudara a llegar.

Al llamar a mi amiga me dijo una de las cosas más sabias que he escuchado en mi vida y que al día de hoy sigo reconociendo y aplicando. Cuando le dije donde me encontraba me dijo, "muy bien, entonces no estás perdida, estás desorientada". Yo estaba en la ruta correcta, pero por ser un lugar nuevo para mí no lo sabía, y me asusté pensando que me había equivocado en algún punto y que no llegaría a tiempo a dar mi charla.

Como sé que nada ocurre por casualidad ni error, no solo pude reírme de mí misma todo el camino sino que también usé la anécdota para romper el hielo en mi charla, sabiendo que si tuve que pasar por la experiencia, la misma tenía propósito. Resulta que la charla fue un éxito, encajaba perfectamente con el tema del evento el cual yo desconocía hasta que llegué. Esta aventura estaba perfectamente alineada con mi tema, "El líder no tiene que tener todas las respuestas, a veces se pierde y necesita quién le guíe y debe confiar en su equipo porque en ocasiones serán ellos los que le dirijan nuevamente al camino".

Y tú:
- ¿Qué haces cuando "te pierdes" o te sientes desorientada?
- ¿Te preocupas, te lamentas, permites que te invada el estrés?
- Si entiendes que nada es por casualidad, ¿permaneces alerta a las señales del camino a ver hacia dónde te dirigen?
- Como líder, ¿te sientes hipócrita hacia los demás porque crees que debes saber siempre hacia dónde vas? ¿Puedes aceptar ayuda de otros

cuando lo necesitas? ¿Confías en tu gente para aceptar sus recomendaciones y su guía?

¿Te has sentido así de perdida? Y si te digo que no lo estás, que esa experiencia es parte del proceso y que cuando algo se "pierde" es porque hay algo que encontrar que de otro modo no hubiese sucedido. Te anuncio algo: ¡no eres perfecta! Pero sí has sido elegida para estar donde estás y hacer lo que te corresponde en este momento. No significa que todo lo sabes. Tampoco significa que toda la carga está sobre ti. Significa que no hay nadie más que tenga el diseño que tú tienes para estar donde tú estás en este momento de tu vida.

Como líder, tienes una función y una gran responsabilidad, pero no siempre irás al frente, no siempre tendrás las respuestas y eres solo parte del *todo* en el equipo. Cada uno de los miembros del grupo tiene su función también, ¡y algunos están ahí precisamente para ayudar al líder a cumplir con la suya!

La próxima vez que te sientas algo perdida, observa lo que está ocurriendo a tu alrededor, mira con atención las señales en el camino, disfruta el proceso y ríete de ti misma.

Una nota de agradecimiento especial para mí "guía" en ese momento y muchos más, quien me ayudo a entender que no estaba perdida, sino desorientada. Mi querida amiga, Brenda López de Victoria.

Ejercicio 13

Tu punto en el mapa

Como todo tiene su propósito significa que donde estás es exactamente donde necesitas estar en este momento. No es casualidad ni accidente.

Ahora bien, ¿dónde estás? Es importante que puedas describir dónde te encuentras para que puedas trazar una ruta o incluso saber qué alternativas tienes para llegar a tu meta.

El día que me detuve y llamé a mi amiga, tuve que describirle con exactitud donde me encontraba para que me pudiese ayudar. Pero ese es el punto, ¡yo no sabía dónde estaba! Así pues, ¿cómo le indique mi punto exacto? Le dije lo que veía, las señales y puntos clave a mi alrededor, las posibles rutas frente a mi (yo estaba justo frente a un cruce de carreteras, como seguramente te encuentras tú hoy) y cualquier otro detalle que le sirviera de referencia. Así fue como supo que yo estaba en la ruta correcta y cuáles de los dos caminos ante mi era más conveniente tomar.

Si no sabes con exactitud dónde te encuentras en el mapa de tu vida o en el camino al éxito, entonces describe lo que sí sabes. Tú también estás en la ruta correcta, solo necesitas conocer mejor tu punto actual para saber cómo llegar desde donde estás hacia donde quieres estar. Lo importante es que observes y sigas tu corazón.

Estas preguntas pueden ayudarte a ubicar tu punto en el mapa:

1. ¿Qué está ocurriendo a tu alrededor? Observa las situaciones que se presentan y las personas, en especial aquellas que se repiten. Analiza nuevamente los seis puntos básicos en el Círculo de Perspectiva Personal y describe tu realidad actual.

2. ¿Qué señales ves y que te indican? Las señales vienen del universo para indicarnos hacia dónde movernos.

3. ¿Cuáles son las posibles rutas ante ti?

4. ¿Qué escuchas a tu alrededor?

5. ¿Cómo te sientes? Tus emociones son grandes indicadores porque aunque no conozcas tu futuro, ya sabes que con tus emociones creas tu realidad, así que basta observar lo que sientes para que sepas hacia dónde te diriges.

Anota tus descubrimientos en una lista o mejor aún, escribe sin detenerte pensando en cada una de estas preguntas y fluyendo con lo que el corazón te indica. Luego lee lo que escribiste. Puede que te sorprendas.

Anótalo todo aquí:

Visualiza las posibilidades y da forma a las ideas con un *vision board*

Ahora que tienes mejor idea de dónde te encuentras puedes elegir tu destino y trazar una ruta o varias posibles rutas hacia ese punto. Primero, con un *vision board*, conocido también como "treasure map" o mapa de tesoros, puedes crear un panorama que refleje tu futuro deseado. Con el punto "A" que sería donde estás ahora y el punto "Z" que sería donde deseas estar, es mucho más fácil saber los pasos que necesitas dar.

Un *vision board* es un cuadro, una carpeta, una pizarra o cualquier cosa que te sirva para colocar fotos o láminas de las cosas que deseas alcanzar o puede ser también una libreta o papel donde escribas lo que deseas. Sugiero que sea algo que puedas ver todos los días. Puedes dejarte notas con pensamientos en diversas parte de la casa u oficina. También puedes tener un *bulletin board* en el que pegues láminas que estén a la vista. Siempre recomiendo a mis clientas incluir en el *vision board* cosas que ya han logrado y son significativas, ya que estas, activan con facilidad emociones positivas de logro, éxito, satisfacción, felicidad, entre otras. y son justo las emociones que necesitamos activar para atraer los demás elementos que faltan por cumplirse, además te hacen recordar que todo es posible.

10 Tips para crear un *vision board* poderoso

1. Crea o compra un tablero que puedas colocar en la pared o un lugar visible.
2. Pon en el tablero imágenes o notas de las cosas que deseas manifestar.
3. Añade también notas de agradecimiento por las cosas que ya has logrado.
4. Cada día párate frente a él y medita en cada cosa para elevarte a su vibración.
5. Puedes hacer varios tableros, uno por cada área de tu vida que deseas mejorar (ej. salud, finanzas, relaciones...)
6. Si harás un solo tablero, crea balance colocando en él imágenes por cada área que deseas trabajar.
7. Es más efectivo si te enfocas en metas a corto plazo, las puedes ir eliminando según se cumplen y poner nuevas.
8. ¡Ten siempre imágenes que te inspiren y te hagan sentir de maravilla!
9. Cuando el tablero deje de inspirarte, necesita un "update": reorganiza las imágenes, cambia las que no te inspiren, ponle colores nuevos.
10. Utilízalo para calibrar tus emociones en el día a día para volver a energizarte.

Ejemplos de *vision board*s de mis estudiantes.

Meta ilusión vs. meta real

Todo lo que me hace sentir el haber logrado la meta, es la meta real. Eso es lo que me mueve. Ese es mi porqué. Eso es lo que estoy perdiendo por no moverme y actuar, pero también existe la posibilidad de que lo pueda conseguir de otro modo. Por ejemplo, si una de mis metas es mudarme a otra casa y me pregunto por qué me quiero mudar a otra casa, lo que sea mi respuesta es la meta real. Digamos que es sentirme segura, estar en paz, sentirme bien y orgullosa de mi espacio. Una vez detecto esa meta *real* y conecto con ella, quizás me dé cuenta que la meta *ilusión* puede cambiar porque es posible crear esa misma realidad en el lugar donde estoy.

Por poner otro ejemplo, digamos que estás insatisfecha con tu relación de pareja porque no es como soñabas. Entonces te pones por meta salir de tu relación actual y encontrar el amor en otra persona. Describes todo lo que quieres que sea esa relación, cómo te quieres sentir y cuán feliz y enamorada estás. Esta es la meta real y es más que probable que puedas lograrlo con tu pareja actual si en lugar de enfocarte en lo que hay fuera comienzas a conectar con ese amor que los unió en un principio.

Así bien, lo que pensabas era la meta es un simple vehículo o medio para lograr la meta real. Y es la meta real la que importa y la que no cambia. Cuando logramos conectar y enfocarnos en la meta real muchas cosas cambian. ¡Es un cambio de paradigma muy poderoso! No es lo mismo decir mi "meta es ganar más dinero", que decir "quiero generar más dinero porque mi meta es darles estabilidad a mis hijos, una mejor educación y vivir una vida libre". Mis hijos y mi libertad son mucho más importantes, valiosos y grandes para mí que cualquier cantidad de dinero. Así ves que no es el dinero la meta, sino lo que puedo vivir, sentir y experimentar por tenerlo. Ese enfoque en la meta *real* me va a mover a hacer lo que sea por conseguirlo. Elimina el temor, la duda y las excusas y tu respuesta siempre será "perfecto, qué tengo que hacer" porque sabes que la meta *real* no es negociable y punto.

Ejercicio 14

Visualiza tu futuro deseado en estado de relajación profunda

Separa un espacio y tiempo lejos de las distracciones para hacer este ejercicio para que visualices y conectes con tu futuro deseado. Como debes leer para seguir los pasos, léelo todo primero para que aprendas el proceso y luego repite el ejercicio con los ojos cerrados. Los pasos aquí son una guía; recomiendo que conectes de tal forma que permitas que tu subconsciente te muestre detalles que son solo tuyos para que el ejercicio sea lo más real y beneficioso posible para ti.

Relájate y visualiza

Estás a punto de adentrarte en una profunda relajación y será una grata experiencia para ti. Siéntate cómoda con tu espalda derecha, tus pies firmes y reposados sobre el suelo o como te sientas más cómoda y tus brazos y manos relajadas sobre tus piernas o a tu lado. Cierra tus ojos y concéntrate en tu respiración.

Relaja tus hombros… ahora respira… haz una inhalación profunda… exhala… haz otra inhalación profunda… 1, 2, 3… exhala…

Sigue concentrada en tu respiración, mientras sientes como se van relajando tus músculos, poco a poco. Visualiza el aire entrando en tu cuerpo y siente como llena tus pulmones en cada inhalación. El aire va llenando cada área de tu cuerpo, cada célula, cada órgano… exhala…

Ve soltando toda la tensión en tus hombros, tus brazos, tu espalda y tus manos, que se van sintiendo cada vez más relajados.

La tensión en tu frente y tu rostro comienza a disiparse ahora. Con cada respiración el resto de tu cuerpo se relaja aún más.

Con esa agradable relajación que tu cuerpo está experimentando, deja que tu mente divague por donde quiera, con cada respiración vas entrando cada vez más profundamente en ti, donde hay paz, seguridad y armonía. Estás segura, estás bien.

Ahora… observa mentalmente tu cuerpo desde la coronilla y visualiza una luz blanca y cálida que baja por tu rostro y por tu cuello y envuelve todo tu ser. Esa luz blanca y cálida continúa bajando por los hombros, por la espalda y cubre tus brazos, tus manos y todo tu cuerpo hasta llegar a tus piernas y tus pies.

Tus pies se relajan ahora… y sale de ellos toda tensión. Ahora estás cubierta de esa luz y esa agradable sensación que inunda todo tu ser en profunda relajación.

Ahora, así relajada y con los ojos cerrados, visualiza un tiempo futuro en el que tus sueños se están cumpliendo frente a ti, uno por uno. Visualiza e imagina que has llegado a ese punto en el que lograste tu sueño anhelado de tener tu propio negocio y eres muy exitosa en lo que haces. Te sientes realizada, próspera y feliz. Escuchas a tu alrededor a las personas que te admiran felicitándote por tus logros. Puedes saborear, oler y sentir en tu corazón el éxito de tu negocio. ¿A qué te huele? ¿Cómo te sabe? ¿Qué sientes en tu interior?

Tus negocios crecen, tu eres la líder en tu empresa y lo administras con poder y autoridad. Has sabido sobrellevar con éxito cada reto y con cada experiencia te has fortalecido y te has convertido en experta en los negocios. Todos te admiran y te felicitan, te sientes muy satisfecha y orgullosa de ti misma. ¿Dónde te ves? ¿Cómo estás vestida? ¿Quiénes están contigo? ¿Estás en donde resides o estás viajando el mundo?

Ahora estás generando mucho dinero haciendo lo que amas y administras con sabiduría tus ingresos. Eres financieramente libre, empoderada y feliz. ¿Cómo inviertes esa abundancia de dinero que generas? ¿Cómo es tu estilo de vida ahora? ¿Con quién lo disfrutas? ¿Qué auto manejas?

Déjate llevar y guiar en tu imaginación donde todo es posible y donde comienza a manifestarse todo lo que es real. Tú eres la protagonista de tu historia, de tu vida, de tus sueños y todo lo que puedes imaginar, lo puedes hacer realidad. Deja que tu imaginación te siga guiando. ¿A dónde más te lleva? ¿Qué más has logrado al alcanzar esto? Atesora esas sensaciones y esas imágenes dentro de ti, llévalas contigo a todas partes. Te sientes poderosa, como una conquistadora de sueños… ¡es tuyo ahora!

Ahora cuenta del 5 al 1… 5, 4… comienzas a despertar poco a poco… 3… tus ojos comienzan a abrirse… 2, 1… despiertas… Estás aquí y en el ahora, con un nuevo poder, con nuevas fuerzas, eres consciente, estás relajada, fresca y empoderada.

Anota aquí tu experiencia con este ejercicio de visualización.

Conclusión

Nunca olvides quién eres y el poder que tiene tu energía sobre tu realidad.

El año 2013 tuvo un comienzo fuerte y doloroso para mi familia y para mí. Aunque desde finales del 2012 podía sentir que el 2013 estaría lleno de bendiciones, como si al fin recibiríamos el fruto de la cosecha de muchos años, los primeros tres meses del año fueron lo opuesto a lo que me esperaba. Fue confuso para mí, porque en mi corazón podía sentir que sería un año de victorias. Pero cuando todo comenzó a derrumbarse, dudé y me dejé arrastrar, por un tiempo.

En esa época había dado unos pasos importantes y estaba a punto de dar otros más importantes aún, unos pasos que conllevaban soltar ciertas cosas, enfrentarme a miedos y lanzarme. Ya lo había hecho antes con éxito, pero esta vez era distinto. Esta vez podía palpar el resultado gigantesco de ese paso que estaba por dar y creo que era precisamente lo que tanto me asustaba. Ahora entiendo por qué en ocasiones por mucho que pedimos a Dios que nos muestre el camino, Él parece ignorarnos. Es que si pudiésemos verlo no nos lanzaríamos.

El miedo y la preocupación son energías muy fuertes. Te pueden paralizar, hacer que retornes atrás o crear toda una seria de efectos externos. En mi caso en esta ocasión, la manifestación de esa energía no tardó en mostrarse. La verdad es que si alguna vez había dudado de mi poder para manifestar con mi energía, ha sido sin duda en ese momento.

En cuestión de dos meses entre enero y febrero, todos en casa nos enfermamos con una gripe que parecía que jamás se iría de nuestros cuerpos. El negocio de mi esposo comenzó a sufrir su peor época en años. Debido a eso, él tomó la decisión de salir de las cuentas mensuales, incluido mi carro. Nuestra hija comenzó a tener problemas en la escuela. Mi propio negocio no estaba generando un centavo y para colmo el mismo día que decidí "echar afuera" la enfermedad de mi cuerpo y retomar uno de mis más importantes proyectos, nuestro hijo mayor sufrió una caída y se fracturó un brazo. Debido a la fractura que sufrió mi hijo pasé con él varios días en el hospital, prácticamente sin comunicación porque mi teléfono celular no recibía señal dentro del hospital.

Ahí en el hospital, comienzo a analizar detenidamente lo que estaba pasando a mi alrededor, después de todo, ahí tenía tiempo de sobra y sabía que eso no era una casualidad. La primera pregunta que me hice fue si realmente esto estaba sucediendo a mi alrededor y yo soy una mera espectadora y víctima de las circunstancias o si la situación era un reflejo de lo que estaba ocurriendo en mi interior.

No sé ni por qué me hice la pregunta pues ya sabía la respuesta. ¡Nada ocurre fuera de mí si no ocurre dentro de mí primero! Pero entonces, ¿a qué se debe el que me hiciera la pregunta? ¿Acaso había olvidado quien soy y el poder que tengo para manifestar? Al momento en que contesté mi pregunta me surgió otra, como de costumbre, ¿qué hay en mi interior que pueda estar provocando todo esto tan feo fuera de mí? ¿A qué le tengo miedo?

Como suelo hacer para entender cada uno de mis procesos en la vida, tomé libreta y comencé a escribir. Repasé los sucesos importantes que podía recordar de los pasados meses, antes de comenzar a experimentar los aparentes problemas, primero para ver si podía detectar algún patrón, pero más importante, para detectar cuáles eran las emociones que estaban provocando el caos. Recordé y registré en mi libreta que en el mes de noviembre del 2012 había tomado la decisión de soltar lo que en ese entonces era mi negocio para incorporarlo como una organización sin fines de lucro.

Ese paso me había tomado años decidirlo, y aunque finalmente lo hice, reconozco que pudo haber provocado en mí cierto sentido de pérdida o si ese sentimiento ya estaba en mi subconsciente, entonces el nuevo acontecimiento pudo ser un detonante para reactivar el sentimiento que ya estaba guardado. Me percato también que el proyecto que en ese momento trataba de iniciar era uno que me causaba mucha emoción, pues había esperado mucho tiempo para comenzarlo, pero a la vez me causaba miedo y ansiedad. De hecho era debido al miedo que había tardado tanto en comenzarlo. Continué registrando todo lo que se me ocurría que había sucedido antes de comenzar los problemas así como las emociones que provocaba cada una de esos sucesos y noté que las emociones que predominaban eran las mismas que me producían los sucesos actuales: sentido de pérdida, preocupación, ansiedad y miedo. ¿Coincidencia?

Yo sabía que no era coincidencia, pero decidí ponerlo a prueba de todos modos. Para ponerlo a prueba, primero que todo repasé en mi mente otros tiempos y momentos de mi vida en que ha surgido el mismo patrón: algo sucede o una decisión se toma que activa ciertas emociones que a su vez atraen situaciones que provocan más de esas emociones, positivas o negativas. Luego hice lo que ya había hecho antes también, comenzar a transformar mis emociones para influir en mi entorno de tal forma que todo comience a cambiar nuevamente. Pero más importante aún, me enfoqué en el momento presente y sus lecciones. Todo lo que ocurre no solo es un efecto de su causa, también tiene un propósito: es enseñarnos y convertirnos en mejores personas. Para extraer la lección de cualquier situación se debe vivir en el presente, estando ahí con todos tus sentidos, tu mente y tu corazón dispuestos a escuchar y aprender.
Según comencé a trabajar en mis emociones, soltando las que no me sirven y transformándolas por emociones positivas, todo comenzó a caer en su lugar.

Después de mes y medio sin carro, mi propio vehículo regresa a mí, el negocio de mi esposo comenzó a prosperar, nuestra hija mejoró en la escuela, nuestro hijo mayor salió de la situación del brazo con éxito y mi negocio, poco a poco, comenzó a generar ingresos. Durante los dos meses difíciles, cuando me enfermé de la gripe que le dio a mi esposo y a mis hijos, estuve dos semanas enferma. Nunca había padecido de una enfermedad por tanto tiempo y aunque me sentía realmente mal, algo en mí sabía que yo podía deshacerme de la enfermedad si quería, pero la estaba alargando para no enfrentarme a mis responsabilidades porque tenía miedo. Yo sabía que podía tomar control de mi cuerpo y sanar, si quería. Pero estar enferma, aunque molesto y doloroso, me brindaba una "ganancia secundaria", que era no tener que atender las responsabilidades que tenía y no comenzar a hacer lo que sabía que debía hacer.

Tuve que sacudirme yo misma y decir: "¡Ya basta! Hasta aquí llegó la enfermedad, me levanto y sigo caminando aunque tenga que arrastrarme". Con mi energía puedo hacer que las cosas se muevan, se paralicen, se enfermen o se sanen. Lo puedo hacer en mí y también en los que me rodean. Cuando yo decidí levantarme de mi lecho de enfermedad y comenzar a moverme, otras cosas comenzaron a moverse también. ¡Era como si todo esperase y dependiera de mí para estar bien!

Ese es el lugar y responsabilidad de la mujer en el hogar. Cuando nosotras estamos bien, nuestra familia goza el beneficio. Es por esto que debemos ser conscientes de la energía que está en nosotras y que inevitablemente emana fuera de nosotras. Afecta todo lo que nos rodea lo queramos o no. El sentido de pérdida que percibí en el suceso del negocio lo pude manejar reconociendo que en realidad todo es energía y la energía no se pierde, se transforma. Lo que ahora parece una pérdida es, en realidad, una transformación de algo en otra cosa. Esa transformación es una bendición si la vemos como tal. De la única forma en que deja de ser una bendición, es que nos quedemos aferradas al sentido de pérdida. Tu energía emocional afecta tu entorno, tu negocio, tu salud y el bienestar de tu familia. Es tu poder manifestador, sé consciente de él y úsalo con cuidado y sabiduría.

De mi corazón al tuyo...espero que mi lección te ayude a manifestar con sabiduría.

Resumen

Somos cuerpo, mente, espíritu y emociones. El cuerpo (y todas las cosas externas) es la manifestación de las otras tres partes. Para ver cambios externos, debemos hacer cambios internos. Si no, esos cambios no se producirán o durarán poco.

Escucha lo que dicen tus emociones acerca de esas cosas que no has podido cambiar aún. Si detectas que no hay congruencia entre lo que pides (positivo) con lo que sientes (negativo) significa que hay cosas internas que debes trabajar.

Separa tiempo para estar contigo y conocerte a fondo. Tienes armas, que necesitas descubrir y de nada vale tenerlas si no sabes que están ahí o cómo usarlas. Tu percepción de ti es el secreto, pero tu conocimiento de ti misma es la clave para desarrollar esa percepción. Cuando eleves la forma en que te ves, crecerá tu confianza, tu seguridad, tu amor propio y tu sentido de superar las situaciones.

Recuerda esto: los obstáculos más grandes que tenemos cada uno como individuo son para vencerse, no para detenernos, pues esa victoria encierra la llave para ascender al próximo nivel. Es un proceso evolutivo y en ese proceso se presentan maestros, libros, lecciones y situaciones para aprender. Obsérvalas con ojo receptivo y no con ojo crítico. Deja ya de defenderte, no eres víctima.

Eres un ser poderoso y eres parte activa en tu proceso creativo. Honra tu presente, tu pasado y tu futuro. Agradece los procesos. No te lamentes ni vivas en el pasado, pero tampoco lo olvides porque encierra grandes lecciones para el futuro. Ser consciente y agradecida de lo que ya tienes a tu alrededor te brindará felicidad ahora, en tiempo presente y te ayudará a generar las emociones positivas para manifestar cosas positivas.

Al fin y al cabo todos deseamos ser felices. ¿Qué tal si comenzamos a ser felices ahora?

Made in the USA
Middletown, DE
03 October 2021